Bajki nie tylko dla dzieci

ks. Mieczysław Maliński

Bajki nie tylko dla dzieci

Wrocław 1997

IMPRIMATUR
Kuria Metropolitalna Wrocławska
L. dz. 1706/94 — 11 listopada 1994 r.

† Henryk Kard. Gulbinowicz
Arcybiskup Metropolita Wrocławski

Okładkę i ilustracje projektował Edward Lutczyn

Redakcja techniczna Marian Gawędzki
Korekta Anna Kurzyca i Małgorzata Kuniewska

TUM
Wydawnictwo
Wrocławskiej Księgarni Archidiecezjalnej
50-329 Wrocław, Pl. Karedralny 19 — tel./fax 22-72-11

ISBN 83-86204-48-6

Wydanie IX. Ark. wyd. 8,0. Ark. druk. 7,5.
Papier offset. kl. III, 71 g. 70x100.
Drukarnia Tumska — Wrocław, ul. Katedralna 1/3.
Zam. 18/97

KALIF ZA SIÓDMĄ GÓRĄ

Pewien bogaty kalif obchodził urodziny. Sprosił na nie swoich bogatych przyjaciół. Przyjechali na rosłych wielbłądach, otoczeni kolorowo ubraną służbą. Rozszumiały się dziedzińce gwarem ludzkim, kwikiem koni, ujadaniem psów, pochrapywaniem wielbłądów. Wypełniły się ciżbą ludzi i zwierząt. Dostojnych gości witał serdecznie gospodarz pełen uśmiechów i wzniosłych słów i prowadził do wnętrza pałacu. Co chwila ogłaszano przybycie kolejnych, ważnych, mądrych, bogatych osobistości. Aż wreszcie zaczęło się przyjęcie. Słudzy roznosili świetne napoje, wykwintne przysmaki. Grała muzyka, zaczęto tańczyć. Goście znakomicie się bawili, żartowali, dowcipkowali, opowiadali ucieszne historie. Ci, którzy nie tańczyli, zajmowali miejsce przy stołach albo spacerowali po ogromnych, wykładanych marmurami salach. Niektórzy schodzili po szerokich schodach do parku. Szli ścieżkami, wysypanymi tłuczonym kamieniem, wijącymi się pośród drzew i krzewów. Podziwiali przystrzyżone trawniki, wspaniałe kwietniki obsadzone prześlicznie rozkwitłymi kwiatami. Przyglądali się łabędziom pływającym po sadzawce i liliom wodnym. Siadali na marmurowych ławeczkach przysłuchując się szemrzącym fontannom i śpiewom ptaków.

Tymczasem okoliczni mieszkańcy zaciekawieni tym, co się dzieje w pałacu, nadciągali ze wszystkich stron. To była w przeważnej części biedota tamtejsza, drobni wyrobnicy, ubodzy chłopi, parobcy pracujący u bogatych wieśniaków, dziewczęta stajenne, małe dzieci a nawet starcy i staruszki, którzy swoje lata wysłużyli i żyli na łaskawym chlebie. Teraz zajmowali miejsca przy ogrodzeniu pałacowym, aby patrzeć, słuchać, podziwiać. Wieść o uroczystości rozeszła się szybko po okolicy i coraz więcej ludzi ubogich, szukających grosza, zarobku, strawy, sensacji, przygody ściągało z pobliskich wiosek i przysiółków, żeby oglądać te wszystkie wspaniałości. Tłoczyli się jedni przez drugich do ogrodzeń pałacowych i gapili się z rozdziawionymi ustami postękując z przejęcia. Patrzyli na stojące na dziedzińcu wielbłądy i służbę w pięknych strojach. Przyglądali się dostojnym gościom. Ale nie tylko ludzie i zwierzęta byli godni podziwu. Patrzyli z nabożnym szacunkiem na park z gęstą, równo strzyżoną trawą, na szumiące fontanny, prześliczne kwiaty, rozłożyste palmy, strzeliste cyprysy. Dzieciaki popiskiwały z uciechy, widząc sztukmistrzów wyczyniających swoje dziwności.

Biednych ludzi gromadziło się coraz więcej i więcej. Tymczasem zapadł wieczór, na podwórkach i w alejach parku zapalono różnokolorowe lampiony. Ogród przemienił się w bajkowy świat: na tarasie tańczyły nimfy. Krasnale wychodziły z altanek i rozdawały gościom zabawne prezenty. Na jezioro wypłynęła łódź barwnie wymalowana, pełna muzykantów przebranych za zwierzęta morskie. Ciemne niebo rozjaśniały co chwila sztuczne ognie. Rozbłysły światła pałacu. Przez kryształowe okna zgromadzone tłumy nędzarzy widziały barwne wnętrza salonów, marmurowe ściany, srebrne świeczniki, ogromne lustra. Z wybałuszonymi oczami patrzyli na świetnie ubranych mężczyzn i damy w strojach złotem wyszywanych, w naszyjnikach z drogich kamieni, w misternie robionych zausznicach.

Płynęły godziny. Biedacy najpierw byli zachwyceni tymi wszystkimi cudownościami. Ale w miarę upływu czasu, gdy się ich oczy napasły oglądanymi ludźmi, zwierzętami, kwiatami, drzewami, gdy się ich ciekawość zaspokoiła, gdy ochłonęli, spojrzeli na siebie. Zobaczyli, że są obtargani, brudni. Poczuli czczość w żołądkach. Wtedy pojawił się gniew. Bo oni byli głodni, a patrzyli na półmiski założone najwyszukańszymi potrawami, całe góry mięsa, stosy najrozmaitszych ciast, tortów, kryształowe naczynia wypełnione kolorowymi napojami. Rosła nienawiść. Na początku rozglądali się po sobie, badając czy inni podobnie myślą. Jeszcze nie wiedzieli, czy mogą się ośmielić wołać o sprawiedliwość, jeszcze nie wiedzieli, czy się nie mylą, czy wolno im się oburzyć. Nagle ktoś bardziej porywczy wykrzyknął, wyciągnął rękę ku górze grożąc. Wtedy jakby na hasło, na które wszyscy czekali, wybuchnął krzyk. Krzyk protestu, bólu, głodu.

Dotąd ani gospodarz, ani nikt z gości nie zdawali sobie sprawy z tego, co się dzieje na zewnątrz. Owszem, dostrzegali kłębiący się tłum za ogrodzeniem, ale nie zwracali na to większej uwagi, myśleli: ot, gawiedź, pospólstwo. Dopiero teraz wyszli z zaciekawieniem na taras, niektórzy niosąc jeszcze w rękach kielichy, ciastka, przysmaki. Wytężali oczy — bo wychodzili z jasnych pomieszczeń, z oczami nie przyzwyczajonymi do zmroku — wpatrywali się w ciemność. Ale nie byli w stanie nic dostrzec. Dobiegał do nich tylko szum głosów ludzkich jak szum nawałnicy czy wzburzonego morza. Naraz kolejna raca wybiegła na niebo i pękając jak owoc granatu oświetliła okolicę pałacu. Wtedy dopiero goście i gospodarz spostrzegli zwarty tłum ludzi. Teraz dopiero zobaczyli, że cały pałac jest otoczony szczelnym pierścieniem tysięcy wściekłych ludzi głodnych, żądnych rabunku. Teraz zdali sobie sprawę z niebezpieczeństwa, w jakim się znaleźli. Wszyscy przelękli się. Niektórzy wpadli w popłoch. Rozległy się okrzyki kobiet, histeryczny płacz. Przerwano zabawę. Wycofano się z tarasu do pomieszczeń. Pogaszono światła. Muzyka przestała grać. Goście skupili się wokół gospodarza, który zresztą był tak samo bezradny jak inni.

Zdawało się, że nic nie potrafi uratować pałacu przed katastrofą.

Wtedy podszedł do gospodarza jego stary sługa, który go znał od dziecka, nosił na rękach i kochał jak swojego syna, i rzekł:

— Panie, czy chcesz, żeby oni stąd odeszli?

Gospodarz popatrzył na niego zdumiony, nie bardzo wiedząc o co mu chodzi. Odpowiedział:

— Oczywiście że tak, ale jak to zrobić?

— Ja spróbuję — odrzekł sługa.

— Ale jak, w jaki sposób? Jak ty sobie poradzisz?

Stary sługa bez słowa wyszedł na taras. Gdy tłum go zobaczył, okrzyki nasiliły się. On stał bez ruchu. Czekał cierpliwie. Po chwili wyciągnął rękę. Krzyki przycichły, a gdy się uspokoiło zupełnie, zaczął powoli, wyraźnie, głośno, jak go tylko na to było stać, mówić:

— Mój pan nie ma tyle jedzenia, ażeby was wszystkich wykarmić. Nie ma tyle picia, ażeby was wszystkich napoić. Nie ma tyle ubrań, żeby wszystkim wam dać. Nie ma tyle pieniędzy, żeby wszyscy byli obdarowani. Ale za siedmioma górami, za siedmioma lasami, za siedmioma rzekami, za siedmioma morzami mieszka potężny kalif, który jest bardzo bogaty. I bardzo dobry. Ktokolwiek do niego przyjdzie, dostanie od niego wszystko, czego potrzebuje i o co poprosi. U niego każdy z was może tyle zjeść, ile potrafi, może tyle się napić, ile zechce, może takie otrzymać szaty, jakie tylko będą mu się podobały, może wziąć od niego tyle złota, ile tylko potrzebuje.

Stary sługa skończył. Cisza wśród ludzi wciąż trwała. Po chwili rozległy się jakieś chichoty i śmiechy. Ale potem znowu się uciszyło. Naraz oderwał się z tego ogromnego tłumu zgromadzonego pod pałacem jeden człowiek, potem drugi i trzeci, i zaczęli iść tam, gdzie sługa wskazał. Potem już duże grupy i wreszcie wszyscy ludzie zaczęli odpływać we wskazanym kierunku. Aż nikt nie pozostał.

Zebrani goście razem z gospodarzem obserwowali to, co się stało, słyszeli wszystko, co zostało powiedziane i wprost nie mogli uwierzyć swoim oczom. Obstąpili starego sługę. Gratulowali mu sukcesu, dziękowali za uratowanie im życia. Śmiali się do niego, poklepywali po ramieniu. On sam stał wśród nich milczący i poważny. Goście w końcu stwierdzili, że jeżeli niebezpieczeństwo naprawdę minęło i nic im nie grozi, i pod pałacem nie ma już nikogo, wobec tego nic nie przeszkadza, żeby można było bawić się dalej. Gospodarz dał znak, zapalono światła w pałacu i lampiony w ogrodach. Rozszumiały się fontanny. Muzyka znowu zaczęła grać. Służba znowu zaczęła roznosić potrawy i napoje, i znowu zaczęły się tańce i śpiewy, rozmowy, żarty i śmiechy. Szybko zapomniano o tym, co przed chwilą się działo. Zapomniał i gospodarz w wirze swych zajęć. Naraz podszedł do niego ten sam stary sługa i rzekł:

— Panie, mam prośbę.

— Mów. Jestem ci przecież bardzo zobowiązany. Zawdzięczam ci życie.

— Czy pozwolisz, żebym i ja tam poszedł?

Gospodarz spytał go zdziwiony:

— A dokąd ty chcesz iść?

— Za siódmą górę, za siódmą rzekę, za siódmy las, za siódme morze.

— Po co? — zdumiał się pan.

— Bo tam mieszka potężny Kalif, który każdemu człowiekowi, jaki do niego przyjdzie, da tyle jedzenia, ile on tylko zechce, da tyle picia, ile on tylko zapragnie, da tyle szat, ile on tylko potrzebuje, da tyle złota, ile on tylko uniesie.

Gospodarz zaczął się śmiać z niego:

— Przecież to wszystko nieprawda.

Sługa z całą powagą odpowiedział:

— O panie, jeżeli tylu uwierzyło, czy to może być nieprawda?

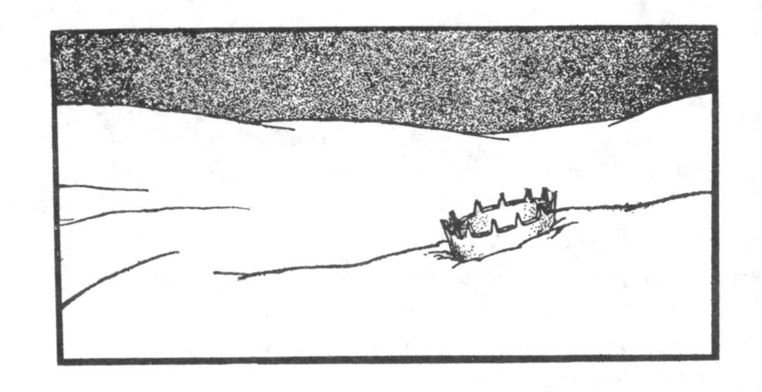

CZWARTY KRÓL

Mówią, że był i czwarty król, który zobaczył gwiazdę zwiastującą Jezusa i zapragnął złożyć nowo narodzonemu Królowi żydowskiemu pokłon. Wiedział, że to ma być Król Miłości. I gdy myślał o tym, jaki dar Mu przynieść, przypomniał sobie o największym swoim skarbie przechowywanym z całą pieczołowitością. To był ogromny rubin o przepięknym czerwonym kolorze. Otrzymał ten kamień od ojca przy swoim urodzeniu.

Wiedział, że do kraju żydowskiego jest daleka i trudna droga. Wybrał najlepsze wielbłądy i osły, najlepsze sługi. Polecił naładować na zwierzęta zapasy wody, jedzenia, ubrania na daleką drogę. Wziął ze sobą dużą sumę pieniędzy. Zawiesił rubin w sakiewce na szyi i pojechał.

Gwiazda wskazywała drogę. Dopóki jechał przez swój kraj, wszystko było jasne i proste. Ludzie znali go dobrze. Znali jego mądrość, jego wielkie serce. Pozdrawiali go z miłością i życzliwością. Zmieniło się potem, gdy wszedł w obce kraje. Zmieniło się nie tylko dlatego, że to był obcy świat, obcy ludzie, obcy język, ale dlatego, że napotkał na rzeczy, których nie spodziewał się spotkać.

Po jakimś czasie wjechał w kraj nawiedzony suszą. Zobaczył spalone pola, spalone lasy, uschłe drzewa, ziemię przepaloną na proch. Napotkał wsie nawiedzone klęską głodu. Ludzi wyschłych z wycieńczenia, żebrzących o garść strawy, umierających z głodu. Zaczął rozdawać to, co miał ze sobą — jedzenie, wodę. W którymś momencie zawahał się: gdy rozdam wszystko, czy potrafię dojechać do Jezusa. Ale wahał się tylko chwilę. Jakby poczuł ogień rubinu, który nosił na piersi. Przecież jeżeli Ten, do którego jadę, jest Królem Miłości, nie mogę postępować inaczej. Rozdał wszystko.

Ale to jego „wszystko" było za mało. Trzeba było rozpocząć jakąś akcję pomocy głodującemu krajowi zakrojoną na szerszą skalę. Wrócił w kraj żyzny i bogaty. Zorganizował pomoc. Jego karawana zajęła się transportem żywności i wody w kraje nawiedzone suszą. I dopiero, gdy ta akcja odniosła skutek, gdy zapobiegł głodowi i śmierci, i gdy pieniądze skończyły się, zdecydował się iść w dalszą drogę. Gwiazda go prowadziła.

Zdawało mu się, że już nie będzie przeszkód, że chociaż był spóźniony, to jednak zdąży do nowo narodzonego Króla żydowskiego, aby Mu złożyć pokłon. Ale tak nie było. Po krótkim okresie spokojnego marszu napotkał wieś, nad którą wisiał na drągu czarny strzęp chorągwi. Znak, że tam panuje „czarna śmierć" — cholera. Zresztą nie było się temu co dziwić. Głodowi towarzyszy jak cień ta zaraźliwa choroba. I musiał powtórnie wybierać: wjechać w tę wieś, czy ominąć ją z daleka i zdążać jak najprędzej do kraju żydowskiego, gdzie się narodził Król. Buntowało się w nim wszystko. Był zmęczony, ogołocony z pieniędzy, żywności. Zostały mu tylko wierzchowce i wierni słudzy. Ale i oni najwyraźniej byli wycieńczeni ponad granice swoich możliwości. I znowu ta sama przyszła odpowiedź: jeżeli to jest Król Miłości, ja nie mogę przejść obojętnie wobec nędzy ludzkiej. I tak wjechał ze swoją karawaną w zagrożoną wieś.

To, co zobaczył, przekraczało jego najgorsze wyobrażenia. Przy drodze i na drodze leżały sczerniałe trupy ludzkie. Smród rozkładających się ciał wisiał w powietrzu. Konie płoszyły się, wielbłądy stulały uszy. Przerażeni słudzy patrzyli na ten straszny widok. Wieś wyglądała jak wymarła. Zdawało się, że nikt nie pozostał przy życiu. Zawahał się: może ktoś jednak jeszcze żyje w tych domach. Podniósł rękę do góry.

— Zatrzymać się — rozkazał.

Karawana stanęła. Zawołał po raz drugi:

— Uciszcie się.

Nadsłuchiwali. I nagle w pierwszym, tuż obok drogi stojącym domu, posłyszeli jakieś słabe wołanie, ale w tej ciszy umarłej wsi dostatecznie wyraźne. I wtedy się zdecydował. Zaczął schodzić z wielbłąda. Słudzy patrzyli z zapartym tchem jak dotknął stopą skażonej ziemi. Odwrócił się do nich i powiedział:

— Kto chce, niech odjedzie. Macie wolną rękę. Kto chce, niech mi towarzyszy. Ja tutaj zostanę, ażeby pomóc tym ludziom, którzy jeszcze żyją.

Wszedł do pierwszej chaty. I pozostał, aby pomagać ciężko chorym ludziom. Towarzyszyło mu kilku sług. Od rana do wieczora szedł od domu do domu, przynosił jedzenie, podawał wodę, wynosił spod chorych brudne prześcieradła. Opiekował się, leczył jak tylko umiał. Gdy mu pozostawała chwila czasu, kopał doły i chował zmarłych. Tak płynął dzień za dniem, tydzień za tygodniem na tej ciężkiej pracy.

Aż któregoś dnia poczuł, że słabnie, że go gorączka ogarnia. Zaczęły mu latać przed oczami czerwone płaty. Zrozumiał, że się zaraził. Ale do końca, ile mu tylko sił jeszcze starczyło, chodził i pomagał ludziom, aż w którymś momencie stracił przytomność i upadł. Nie wiedział, kiedy jakieś litościwe ręce zaciągnęły go na barłóg, nie wiedział, kto mu podawał wodę i jedzenie, kto się nim opiekował w czasie, gdy leżał w wysokiej gorączce.

Nie zdawał sobie sprawy, jak długo chorował. Gdy się obudził, jedno zrozumiał, że żyje, że przetrzymał, nie umarł. Ale był bardzo słaby. W pierwszych dniach nie mógł jeszcze wstawać. Potem zaczął powoli chodzić po izbie, potem wreszcie po podwórku. Nie było przy nim nikogo ze sług. Może odjechali, może poumierali. Patrzył na budzącą się do życia wieś.

Ludzie nie rozpoznawali w nim króla. Ani nawet wybawcy. Wtedy, kiedy ratował ich wraz ze swoimi sługami, oni leżeli nieprzytomni, nieświadomi tego, co się wokół nich dzieje. Teraz widzieli w nim przybysza — nędzarza, któremu trzeba pomagać. Ale to dla niego nie było ważne. Nie było nawet ważne i to, że traktowali go jak żebraka, jak włóczęgę. Faktycznie nie przypominał w niczym ani króla, ani człowieka zamożnego. Odzienie było w strzępach, on sam zmęczony, wycieńczony.

Namyślał się, co robić — wracać do swojego kraju czy iść, aby spotkać Jezusa, Króla żydowskiego. Czy jest sens iść dalej, za gwiazdą. Już tyle lat minęło, gdy ją ujrzał po raz pierwszy. Jego czarna broda stała się srebrzysta, jego mięśnie zwiotczały, skóra się pomarszczyła. Ale gwiazda wciąż świeciła. Zdecydował się iść dalej. Miał przecież jeszcze zawieszony na szyi najdroższy skarb — najwspanialszy rubin, który chciał Jezusowi złożyć w ofierze.

I poszedł. Nie miał pieniędzy, wobec tego najmował się do roboty, aby zapracować na pożywienie i na nocleg. Szedł od wsi do wsi, od miasta do miasta. Powoli, bo i słaby był, powoli, bo i trzeba było pracować.

Aż razu pewnego wszedł w wielkie miasto — znowu obce mu, z obcym językiem, z obcymi zwyczajami — chciał je przejść jak najprędzej. Nie lubił hałasu, krzątaniny. Ale patrzył ciekawie na wszystko, co się wokół działo. Doszedł do wielkiego placu na rynku, gdzie odbywał się targ. Sprzedawano i kupowano bydło — kozy, owce, konie, wielbłądy. Szedł dalej i napotkał targ, gdzie sprzedawano ludzi. W jego państwie takich zwyczajów nie było. Patrzył zdziwiony i przerażony. I naraz wśród niewolników przeznaczonych na sprzedaż zobaczył gromadę ludzi podobnych do jego poddanych. Podszedł bliżej. Tak, nie mylił się. Dosłyszał, że mówią jego językiem. To byli jego rodacy. Teraz stali na podwyższeniu, spętani powrozami jak zwierzęta. Przyglądał się im. Duża grupa: mężczyźni, kobiety, dzieci, starcy. Domyślił się, że jakiś nieprzyjaciel napadł na jego kraj, porwał ludzi, a teraz jak bydło sprzedaje na targu. Ból ścisnął mu serce. Chciał im pomóc, ale nie miał jak. Przecież nie miał pieniędzy, aby ich wykupić i uwolnić.

I wtedy przypomniał sobie o skarbie, który nosił na szyi. O rubinie, symbolu miłości, który miał zanieść Jezusowi. Jeszcze się zawahał: przecież to nie mój, to już jest Jego. Ja Mu go już podarowałem. Ale równocześnie pojawiła się odpowiedź: a co On by zrobił, gdyby ujrzał tych biednych ludzi? Bez wahania podszedł do handlarza i powiedział:

— Chcę kupić od ciebie tych ludzi.

Handlarz popatrzył z pogardą na niego i odrzekł:

— Tyle pieniędzy, ile ja za nich muszę otrzymać, ty nawet nigdy w życiu nie widziałeś.

Wtedy król sięgnął po swój skarb. Wyciągnął z zanadrza sakiewkę. Pokazał handlarzowi rubin. Handlarz najwidoczniej znał się na drogich kamieniach, bo oczy zabłysły mu chciwością i spytał:

— Ile chcesz za ten kamień?

On odpowiedział:

— Chcę tych ludzi.

— Weź sobie wszystkich — usłyszał.

Wtedy dał mu rubin Jezusa. Potem podszedł do swoich ludzi i powiedział im w swoim i w ich języku:

— Jesteście wolni, wracajcie do domu.

W pierwszej chwili wierzyć nie chcieli, popatrzyli na handlarza. Ten skinął głową. Gdy oni płacząc, śmiejąc się rzucali się sobie na szyję, król niespostrzeżony przez nich odszedł. Nie wiedzieli, że to jest ich król. Zresztą nie poznaliby w tym żebraku swojego władcy.

Gdy wyszedł z miasta i powoli uspokajał się po tym wszystkim, co przeżył, zadał sobie pytanie: „Co teraz? Co teraz robić? Po co iść do Jerozolimy? Po co iść do stolicy państwa żydowskiego? Nie mam co przynieść temu nowemu Królowi żydowskiemu. Nowo narodzony Król żydowski jest już z pewnością dorosłym człowiekiem. Już tyle lat upłynęło od chwili, kiedy wyszedłem ze swojego państwa w tę daleką drogę. Po co iść? Co Mu powiem? Co Mu ofiaruję? Ale po co wracać do domu? W kraju z pewnością inny król rządzi".

Wieczorem odszukał swoją gwiazdę. Gwiazda świeciła. Zdecydował się iść dalej. Powiedział sobie: Zobaczę, jak On rządzi, ten Król Miłości. Czy w Jego państwie naprawdę panuje Miłość? Jak On realizuje Miłość na co dzień? W ustawodawstwie, w prawie, w zwyczajach, które wprowadził?" I poszedł. Poszedł zobaczyć królestwo Miłości.

I znowu szedł tak jak przedtem od miasta do miasta, od wsi do wsi zarabiając na jedzenie i na nocleg pracą. Aż wreszcie doszedł do Jerozolimy. Zobaczył najpierw z daleka piękną, bielejącą murami świątynię na górze postawioną, potem mury Jerozolimy, którymi była stolica opasana. Ale on widział piękniejsze i większe miasta niż to. Był ciekawy tego życia, które w nim się toczy, tych zwyczajów, które w nim panują. A może ten Król Miłości, tak jak nieraz inni ludzie, stał się zwyczajnym człowiekiem? Może zapomniał o Miłości? Może się zajmuje bogaceniem się? Może rządzi przemocą, siłą?

Spostrzegł, że jego gwiazda gasła szybko. Zaniepokoił się. Nie wiedział, co to znaczy. Wszedł w miasto gwarne, burzliwe, żywiołowe. Zmęczony usiadł na progu jakiegoś domostwa. Był szczęśliwy, że wreszcie doszedł do celu swojej podróży.

Patrzył ciekawie na domy, kramy, przesuwające się przed jego oczami, aż naraz posłyszał z daleka jakiś hałas — drogą szedł orszak, pobłyskiwały hełmy i zbroje. Orszak się zbliżał coraz bardziej. Król wciąż nie wiedział, czy to jakaś procesja, czy pochód triumfalny. Aż nagle spostrzegł nad tłumem sterczące trzy belki. W pierwszej chwili nie chciał uwierzyć własnym oczom. Zadał sobie pytanie: „I tutaj istnieje kara śmierci i to najokrutniejsza kara śmierci przez ukrzyżowanie? W krainie rządzonej przez Króla Miłości?"

Pochód przeciągał obok niego. Pomiędzy tłumem żołnierzy, gapiów szli dwaj pierwsi skazańcy. Potem nastąpiła przerwa. Po chwili pojawił się żołnierz trzymający w rękach tablicę, na której było napisane imię i wina, za którą trzeci skazaniec będzie ukarany śmiercią krzyżową. Powoli sylabizował tekst napisu: „Jezus Nazareński Król Żydowski" i gdy odczytywał to ogłoszenie, napisane w kilku językach, nagle odkrył z całym przerażeniem, że człowiek, którego tablica zapowiada, to jest Ten, do którego on wędrował przez tyle lat, że to On idzie teraz skazany na śmierć. Wciąż jeszcze nie rozumiał, wciąż był tak przerażony, że pojąć nawet nie mógł do końca sensu tego, co przeczytał. Wtedy pojawił się Jezus Nazareński, Król Żydowski. Z koroną cierniową na głowie, szedł zataczając się, wyczerpany, uginający się pod drzewem krzyża.

Gdy tak wpatrywał się wciąż jeszcze osłupiały w tę postać pochyloną pod krzyżem, spostrzegł nagle, że Jezus podchodzi do niego. I wtedy król zobaczył dokładnie Jego twarz zlaną potem i krwią. Zapatrzył się na krople krwi drżące na cierniach korony, bo przypomniały mu tamten jego rubin, który tak długo niósł do Jezusa. Dopiero po jakiejś chwili opamiętał się i zauważył, że Jezus na niego skierował swój wzrok. Król spotkał się z Jego spojrzeniem. Takich oczu jeszcze nigdy nie widział. To było pierwsze wrażenie. Ale następne było równie zaskakujące: w oczach Jezusa nie było nienawiści. Uderzyło go to tym bardziej, że przed chwilą przesunęły się przed nim straszne twarze pierwszych dwóch skazańców. I z kolei odkrył rzecz, która go przyprawiła o zdumienie: Jezus mu współczuje. Coś niepojętego: ten Człowiek skazany na śmierć, tak strasznie poraniony, zachowuje się tak, jakby nieważne było Jego własne cierpienie, ale jakby jedynie ważnym był on — stary król. Z najwyższym wzruszeniem wyczytał z oczu Jezusa, że On wie o wszystkim, o całej długiej drodze, jaką odbył do

Niego, o tym, co przeszedł w tych długich latach wędrówki. Że to przyjmuje jako największy dar. Dar ważniejszy niż tysiące najpiękniejszych rubinów świata.

To wszystko trwało tylko moment, ale przepełniła go taka radość z tego spotkania z Jezusem, że serce mu pękło ze szczęścia.

TYTUS — SYN KOWALA

Na skraju miasta żył młody kowal. Kuł zbroje, tarcze i miecze dla gladiatorów, którzy walczyli na arenach. Kuźnię odziedziczył po ojcu, który też — tak jak on teraz — pracował dla gladiatorów. Już jako dziecko całe dnie spędzał w kuźni. Bawił się z klientami ojca, walczył z nimi swoim dziecinnym mieczem, bronił się przed ich uderzeniami swoją dziecinną tarczą. Gdy go pytali, kim chce być w życiu, odpowiadał zawsze niezmiennie to samo: gladiatorem. Chciał walczyć na arenach, chciał zwyciężać, zdobywać sławę i pieniądze. W miarę upływu czasu robił szybkie postępy. Starzy fachowcy wróżyli mu dużą przyszłość. Miał świetne warunki fizyczne: dobrze zbudowany, silny, wysoki, nie za ciężki. Miał szybki refleks i odwagę. Zapowiadał się na doskonałego zawodnika. Nawet zaczął brać udział w igrzyskach. Niestety, czy też na szczęście, śliczna dziewczyna, jego obecna żona, uprosiła go, aby tego zaprzestał. Zgodził się na to, choć z dużymi oporami. Mimo że faktycznie zrezygnował z kariery gladiatora, to jednak nie opuścił ani jednego ważnego widowiska. Wciąż, jak dawniej, interesował się życiem zawodników. Przyjaźnił się z wieloma z nich. Nie tylko rozmawiali o fechtunku, ale nawet razem z nimi ćwiczył, na placu przed kuźnią, w czasie przerwy w pracy. On ich uczył tego, co sam zdążył odkryć i udoskonalić, oni pokazywali mu, jak walczą.

Urodziło mu się dziecko, którego obydwoje z żoną od dawna oczekiwali. Nazwali je Tytus. Ale urodziło się słabiutkie i wymagało dużej staranności i troskliwości, bo łatwo zapadało na rozmaite choroby. Zwierzał się ze swoich zmartwień przyjaciołom. Któryś z nich polecił mu jednego z lekarzy. Ale ostrzegał go, że to jest bardzo drogi lekarz, leczy tylko dzieci bogatych patrycjuszy. Kowal zapamiętał adres i nazwisko. „Na wszelki wypadek" — pomyślał z obawą.

Niestety, sprawdziły się jego niepokoje. Razu pewnego, gdy wracał po pracy do domu, nie wyszła mu naprzeciw, jak zwykle, jego żona. Zaniepokoiło go to. Znalazł ją przy łóżku dziecka. Tytus był chory. Pojawiła się wysoka gorączka, która nie chciała ustąpić ani następnego dnia, ani kolejnego. Znajomy medyk był bezradny. Kowal najchętniej pozostałby w domu, aby opiekować się chłopcem, ale nie mógł, ponieważ miał cały szereg pilnych prac z powodu zbliżających się wielkich igrzysk. W któryś kolejny dzień wpadła do kuźni jego żona z dzieckiem na ręku:

— Umiera.

Wystarczył mu jeden rzut oka, by stwierdzić, że tak jest. Porwał syna w ramiona i tak jak stał, w fartuchu skórzanym, pobiegł do lekarza. To było na szczęście niedaleko. Lekarza zastali w domu. Przebadał dziecko gruntownie. Kowal czekał z żoną na diagnozę jak na wyrok. Po długiej chwili lekarz orzekł:

— Dziecko jest w ciężkim stanie, bardzo poważnie chore. Może mi się uda je uratować. Jednak musi pozostać u mnie co najmniej dwa tygodnie, a może i dłużej. Ale ta kuracja będzie bardzo dużo kosztowała, lekarstwa są drogie. Będziesz mógł zapłacić? — spytał kowala.

— Ile?

Lekarz wymienił orientacyjną sumę. Była tak wysoka, że przekraczała wszystko, co kowal miał oszczędzone. Nawet gdyby sprzedał swój domek i całą kuźnię, to i tak nie potrafiłby zapłacić. Ale zdecydował się natychmiast:

— Dobrze.

— Pierwszą ratę wpłać mi w ciągu najbliższych dni. A resztę, gdy syn wyzdrowieje. Jeżeli uda mi się go wyleczyć.

Żona patrzyła na kowala z niepokojem:

— Skąd ty weźmiesz tyle pieniędzy?

Nie odpowiedział. Wrócił do kuźni, by wykańczać zamówienia. Gdy zamykał kuźnię, wyciągnął z ukrycia swój sprzęt gladiatorski. Przymierzył go, wyczyścił. Wiedział, że sumę, której żąda lekarz, może zdobyć tylko jako gladiator. Sposobność nadarzała się znakomita. Igrzyska, jakie miały się odbyć w mieście za parę dni, były jedne z największych w ciągu roku. Zdawał sobie sprawę z ryzyka, jednak wiedział, że nie ma innego wyjścia. Nie mógł inaczej postąpić.

W miarę jak zbliżał się dzień rozpoczęcia zawodów, kowal był coraz bardziej niespokojny. W noc przed igrzyskami nic nie spał. Rano wyszedł wcześnie z domu, jak zawsze w dzień igrzysk. Po drodze wstąpił do kuźni. Zbroję, nagolenniki, tarczę, miecz okręcił w płótno, tak żeby nikt nie mógł rozpoznać, co on niesie, i poszedł. Idąc na stadion nie spotkał na szczęście nikogo ze swoich znajomych.

Chwilę czekał przed wejściem. W ostatnim momencie, gdy już wszyscy gladiatorzy poczęli wychodzić na arenę, wszedł do przebieralni, włożył zbroję i hełm. Jego hełm był głęboki, zakrywał nos i kości policzkowe, stąd też pozwalał kowalowi pozostawać nierozpoznanym. Na piasku były już wyznaczone pola dla każdej pary. Mieli walczyć systemem po dwóch. Kolejni zawodnicy spotykali się ze sobą, i tak do końca, aż wreszcie na arenie miało pozostać dwóch gladiatorów. Ci mieli walczyć o palmę pierwszeństwa. Na ile mógł się zorientować, było ich wszystkich około czterdziestu. Miał więc przed sobą pięć względnie sześć walk. Wskazano mu stanowisko. Spojrzał po trybunach. Były pełne. Przyszło mu do głowy: „Ten, kto wygra, zbierze dużo pieniędzy".

Jego pierwszym przeciwnikiem był jakiś nieznany młody chłopiec. Kowal spostrzegł, że tamten jest niespokojny, że bardzo się denerwuje. Żal mu go było. Konsul prowadzący igrzyska dał znak na rozpoczęcie walki. W tym momencie chłopiec rzucił się na kowala. Najwidoczniej bojąc się, że ma przed sobą starszego gladiatora o dużej praktyce, chciał przez zaskoczenie zakończyć walkę błyskawicznie. Kowal zrobił unik, ale chłopiec znowu zaatakował, skakał jak szaleniec. Technicznie był jednak słaby. Nie krył się dostatecznie, odsłaniał się. Kowal patrzył spokojnie na to miotanie się, unikał jego ciosów. Nie chciał go zabić. Odczekał i wykorzystał kolejny błąd. Gdy chłopiec przy zamachowym ciosie odsłonił się, pchnął go mieczem. Chłopiec upadł na ziemię. Krew poczęła rozlewać się czerwoną plamą po piasku. Teraz, spod hełmu, który spadł, rozsypały się blond włosy. Na twarzy chłopca pojawiły się łzy. Płakał. Z bólu czy z powodu przegranej? Kowal nachylony nad nim poczuł, że i jemu łzy płyną po twarzy. Bardzo chciał, żeby ten chłopiec nie umarł. Nie wiedział, jak mu pomóc. Patrzył na chłopca bezradnie. Przyszli niewolnicy, którzy ściągali rannych i zabitych gladiatorów, grabili piasek, rysowali patykami nowe pola walk, dla tych, którzy zwyciężyli. Zwycięzców było około dwudziestu.

Zaczęło się kolejne spotkanie. Kowal walczył jak we śnie. Wciąż miał przed oczami tamtą, cierpiącą twarz swojego pierwszego przeciwnika. Oprzytomniał pod wpływem bólu. Nie dość szczelnie się zasłonił i ześlizgujący się po jego tarczy miecz przeciwnika skaleczył go w rękę. Trysnęła krew. Ujrzał w oczach gladiatora błysk zwycięstwa. Wykorzystał ten moment dekoncentracji i uderzył celnie. Nie patrzył. Nie chciał widzieć, czy zabił, czy tylko zranił. Zajął się swoim ramieniem. Na szczęście uderzenie nie uszkodziło mięśni, zdarło tylko skórę. Krew się sączyła, ból mu dokuczał, ale ramię było sprawne.

Potem następowały po sobie dalsze walki. W miarę upływu czasu czuł, że jego siły wyczerpują się, był coraz bardziej zmęczony. Pot zalewał mu twarz, ręka trzymająca tarczę coraz częściej mu drętwiała. Nie był w stanie uderzyć mieczem tak silnie, jak by tego chciał, potykał się. Tego bał się najbardziej. Był cały poobijany, pokaleczony. Uszy pełne wycia tłumów, oczy na wpół widzące, drżące nogi. Nie wiedział już z iloma walczył.

Opamiętał się, gdy spostrzegł, że arena jest pusta, a na placu został tylko on i jego ostatni przeciwnik. Nie obchodziło go, kto to jest. Nie było go stać na to, był tak zmęczony. Czekał z opuszczoną głową, chcąc by ta przerwa trwała jak najdłużej. Niewolnicy wyrównywali piasek na arenie. Wreszcie, gdy dano znak na rozpoczęcie walki, podniósł głowę i oprzytomniał natychmiast. Ostatnim przeciwnikiem był jego stary przyjaciel. Tamten nie poznał go. Kowal od początku walk aż dotąd nie zdejmował hełmu, chociaż marzył o tym, by otrzeć twarz i ochłodzić się, tak jak to wszyscy robili. Ale chciał pozostać do końca nierozpoznany. — „Jeżeli wygram, wtedy niech mnie poznają". — Patrzył na swojego przeciwnika z głębokim wzruszeniem. Przyjaźnił się z nim od dziecka. Razem się bawili, razem ćwiczyli fechtunek, nie było jednego chwytu, którego by obaj nie znali, nie było uderzenia, które byłoby niespodzianką. Zaczęła się walka. W miarę, jak minuty płynęły, czuł, że w jego przeciwniku coraz bardziej rośnie zdziwienie. Przyjaciel najwyraźniej nie mógł pojąć, dlaczego nie udają mu się najlepsze chwyty, jak również skąd jego przeciwnik potrafi parować ciosy, które były nie do obrony. Wreszcie kowal rozstrzygnął walkę w dziecinnie prosty sposób. Podstawił przeciwnikowi po prostu nogę, a potem runął na niego, przystawił miecz do gardła i zmusił do poddania się. Wtedy odskoczył. Jego przyjaciel ciężko dźwignął się z areny i zaczął odchodzić. Teraz do uszu kowala doszedł huragan oklasków. Amfiteatr powitał to zwycięstwo i to rozwiązanie śmiechem i brawami. Widzowie najwyraźniej mieli dość krwi, cieszyli się i śmiali jak dzieci. Kowal rozejrzał się. Dopiero teraz zorientował się, że jest ulubieńcem stadionu. Domyślił się, że widzowie obserwowali wszystkie jego walki, że spodobał się, że zyskał sympatię.

Kowal zdjął hełm z głowy. W tym momencie odchodzący z areny jego ostatni przeciwnik odwrócił się i zamarł w bezruchu. Potem roześmiał się i pełen radości podbiegł do kowala, rzucił mu się w ramiona. Amfiteatr ogarnął szał uniesienia. Klaskano, wołano, śpiewano. Wreszcie ludzie powstali z miejsc i zaczęli rzucać pieniądze.

Rozpoznano go. Tajemniczy nowy gladiator, to był kowal płatnerz.

A on patrzył na lecące pieniądze jak na życiodajny deszcz. To były pieniądze dla jego dziecka. Potem objął starego towarzysza, i tak spleceni w przyjacielskim uścisku szli przez arenę do szatni. Jego powrót do domu był marszem triumfalnym. Kowal szedł otoczony wieńcem przyjaciół, kolegów, znajomych, sympatyków, którzy podziwiali jego walkę. Niewolnicy przynieśli mu zebrane z piasku areny pieniądze. Było ich tyle, że z łatwością starczyło na zapłacenie całego leczenia dziecka. Gdy się już zbliżali do domu, z daleka wybiegła żona naprzeciw. Dowiedziała się wszystkiego od ludzi, którzy wcześniej wyszli z igrzysk. Zapłakana, ale szczęśliwa, że wraca zdrowy, rzuciła się mu na szyję i powiedziała:

— Już nigdy, prawda, ty już nigdy nie wystąpisz na arenie.

— Nie. Teraz już będę walczył — odpowiedział.

W domu jej wyjaśnił, dlaczego będzie walczył:

— Drugi raz w takiej sytuacji nie chcę się znaleźć, bo kiedyś znowu może się okazać, że będzie potrzeba mnóstwo pieniędzy, jak w tym wypadku i nie będzie skąd ich wziąć. A więc będę walczył. Tylko ci obiecuję, że to będzie trwało już krótko. Krótko, ale intensywnie. A potem porzucę zawód gladiatora i będziemy żyli spokojnie.

Zwycięstwo tak efektowne uczyniło go sławnym. Dostał natychmiast wiele ofert z rozmaitych miast. Przebierał starannie. Żądał dużo pieniędzy za każdy swój występ, niezależnie od tych datków, które rzucali widzowie. Skoncentrował się na dobrym przygotowaniu. Dużo trenował, dzień za dniem, od rana do wieczora. Brał najlepszych fechtmistrzów, prosił do współpracy swoich dawnych kolegów gladiatorów, których jeszcze znał z czasów, kiedy prowadził kuźnię.

Równocześnie myślał o swojej przyszłości, a właściwie o przyszłości swojego syna. Polecił pośrednikom, którzy zajmują się kupnem i sprzedażą domów, żeby mu znaleźli w dzielnicy patrycjuszy jakiś wygodny dom. Kupił okazyjnie willę z ogromnym ogrodem, urządził ją bardzo bogato.

Zmieniło się w jego życiu dużo. W tym nowym okrutnym życiu, w życiu, w którym każdy dzień był wypełniony troską o siebie i o swoje interesy, nie było czasu ani miejsca na przyjaciół. Znikli oni tak niepostrzeżenie jak jego żona. Któregoś razu wrócił po długiej podróży do domu i dowiedział się, że umarła na serce. Do końca nie zgadzała się na to jego nowe życie. Nie protestowała. Od dawna nie mówiła nic. Ale czytał w jej oczach, że wciąż boi się o niego, że błaga go, by zaniechał walk na arenach. Przyjął fakt jej śmierci bez specjalnego wrażenia. Dla niej nie było miejsca w życiu, na które się zdecydował.

Pieniędzy zarobionych nie rozrzucał. Bogacił się rozumnie, rozważnie. Kupował pola, inwestował w gospodarstwa, liczył się z tym, że w krótkim czasie wycofa się. A odejść chciał ze swojego zawodu gladiatorskiego nawet nie dlatego, że czuł się nie w formie, tylko myślał o swoim synu. Zresztą, nieraz w późniejszych latach opowiadał znajomym, że był to dla niego najtrudniejszy krok życiowy. Przyznawał, że nigdy nic nie było dla niego trudniejsze, jak decyzja zejścia z areny. Podkreślał, że uczynił to przede wszystkim dla swojego syna.

Nie chciał, żeby syn wiedział, jak wygląda jego prawdziwe życie. Nie rozmawiał z nim na te tematy. Nigdy nie brał udziału w igrzyskach na terenie swojego miasta. Wciąż w rozjazdach, nie miał czasu zajmować się wychowaniem Tytusa, sprowadził więc świetnych pedagogów, którzy mieli jego syna nauczać i wychowywać.

Nie zdawał sobie sprawy, że Tytus wiedział o ojcu bardzo dużo. Chłopiec chłonął każdy szczegół, każde rzucone zdanie, które dotyczyło ojca. Interesował się każdym jego wyjazdem, każdą jego walką i zwycięstwem. Wzrastał w atmosferze walk, przemocy, zwycięstw, sławy, pieniędzy. Nawet uprosił ojca — mimo że ten się przed tym długo bronił — aby zezwolił mu na uczęszczanie do szkoły szermierczej. Na ćwiczeniach był zajadły, nieustępliwy, chciał zawsze zwyciężać. W walce i w zwycięstwie widział cel swojego życia. Zresztą nie tylko w czasie ćwiczeń. Nadmiernie ambitny, zarozumiały, bezczelny, arogancki, pewny siebie, pewny wpływów ojca, pieniędzy ojca, sławy ojca, nie liczył się z nikim ani z niczym. Zaczepiał ludzi na ulicy, wszczynał burdy. O tym wszystkim ojciec nie wiedział. Służba nie śmiała mu donosić o poczynaniach jego syna. Kryła wybryki Tytusa.

Kiedyś szkoła Tytusa urządziła zawody szermiercze z drugą podobną szkołą szermierczą w mieście. Chłopiec szczęśliwie doszedł do finału, ale w ostatniej walce natrafił na przeciwnika lepszego od siebie. To go rozwścieczyło. Chciał zwyciężyć za wszelką cenę. Nerwy go poniosły. Zaczął walczyć wbrew przepisom. Zranił swojego partnera. Został zdyskwalifikowany. Nie chciał tego uznać. Zrobił awanturę. Poobrażał swoich kolegów i przełożonych. Ojciec dowiedział się o tym. Dopiero teraz zaczął dopytywać się i interesować się swoim synem. To zajście otworzyło mu oczy na stan faktyczny. Uświadomiło mu, co się z jego synem dzieje. Rozmowa z Tytusem niewiele dała. Wprost przeciwnie, przekonała go, że stracił z nim kontakt, że nie umie się z nim porozumieć. Chciał więc przynajmniej jakoś doraźnie z tego incydentu wyjść. Polecił Tytusowi, by przeprosił swojego kolegę. Tytus się zaciął, oświadczył, że tego nie zrobi. Kowal nie chciał doprowadzić do ostateczności, powiedział ugodowo:

— Dobrze, pójdę razem z tobą.

I tak też zrobił: poszli razem.

Był to stary zamożny dom położony w odległej dzielnicy. Stara, dobra rodzina. Kowal przeprosił rodziców za syna, a potem wreszcie Tytus wypowiedział słowa przeproszenia, tak jak sobie ojciec życzył. Już pogodzeni Tytus ze swoim kolegą spacerowali po ogrodzie. I wtedy przybiegła do nich dziewczyna, jego siostra. Tytusa uderzyło, że jest jakaś inna niż dziewczęta, z którymi się dotąd spotykał. Nawet nie bardzo mógłby powiedzieć, na czym ta inność polegała. Zresztą miał takie wrażenie, że cały dom był inny niż te, gdzie dotąd bywał. Musiał przyznać, że dobrze się tam czuł. Stąd też pod rozmaitymi pozorami zaczął tam zachodzić. Zaprzyjaźnił się serdecznie ze swoim byłym przeciwnikiem i jego siostrą.

Kiedyś zaprosił Weronikę do swojego domu.

— Nie. Jutro nie mogę przyjść. W niedzielę jestem zajęta.

— A co robisz?

— Spotykamy się na łamaniu chleba.

— Kto, my?

— My, chrześcijanie.

— Toś ty jest chrześcijanka? — prawie zaniemówił z wrażenia. To wszystko, co słyszał o chrześcijanach, było złe, albo przynajmniej dziwaczne. Weronika nie pasowała mu do tego obrazu. Żeby przerwać niezręczną ciszę, która zapanowała, zaczął mówić: — Coś o chrześcijanach kiedyś słyszałem, ale nie bardzo sobie przypominam. Aha, już wiem. Chrześcijanie to ateiści. Nie wierzą w Boga.

Uśmiechnęła się:

— Ależ wierzymy w Boga.

— Nie znam się bardzo na tym, ale mówiono chyba, że nie chcecie składać ofiar bogom Rzymu. Czy tak?

— Tak. To prawda, ale to nie znaczy, że nie wierzymy w Boga.

Najwyraźniej nie mógł tego zrozumieć, co ona starała się mu wytłumaczyć. To go zdenerwowało:

— Poczekaj. Ty jesteś przecież Rzymianką. A jeżeli tak to powinnaś czcić boga naszego narodu, czy nie? Jeżeli nie czcisz, to znaczy, że nie wierzysz, to znaczy, że jesteś ateistką. Czy źle mówię? — zapytał agresywnie.

Patrzyła na niego trochę rozbawiona. A potem powiedziała pojednawczo:

— I tak, i nie. My wierzymy w jednego Boga, który jest Bogiem Greków, Rzymian i Żydów, wszystkich ludzi na całym świecie.

Słuchał jej nie bardzo dowierzając temu, co mówiła. Inne miał zdanie na ten temat. Spytał więc wymijająco:

— A dlaczego nazywacie się chrześcijanami? Czy to prawda, że uważacie za Boga człowieka skazanego na śmierć przez prokuratora rzymskiego? — pytał ją surowo, jak na przesłuchaniu.

Znowu się uśmiechnęła:

— Prawda, ale nie całkiem. Jezus jest dla nas Słowem Bożym: Logosem. Pamiętasz, co mówią na temat Logosu stoicy? To jest podobnie, chociaż trochę inaczej. Ale — przerwała nagle — jeżeli chcesz coś więcej wiedzieć o chrześcijanach, najlepiej przyjdź kiedyś do nas, wtedy zobaczysz, jak to wszystko wygląda. Dobrze?

— Dobrze, chętnie — odpowiedział.

— Tylko najpierw muszę się spytać prezbitera, czy zgodzi się na twoją obecność.

— A kto to jest prezbiter?

— Ten, kto przewodniczy naszemu spotkaniu. Z tym, że nie będziesz mógł być na całym naszym spotkaniu, ale trochę zobaczysz.

— Gdzie mam przyjść?

— My się spotykamy u naszych ludzi, w ich domach. W jedną niedzielę u jednych, w inną u drugich.

Był bardzo ciekawy tego spotkania. Tego — jak to mówiła — łamania chleba. Nie mógł się doczekać decyzji prezbitera. Ale po paru dniach Weronika dała znać, że prezbiter zgodził się.

W niedzielę poszedł na wyznaczone spotkanie. To było całkiem niedaleko. Przyglądał się wszystkiemu uważnie. Najpierw było bardzo zwyczajnie. Przychodziły całe rodziny z dziećmi albo pojedyncze osoby. Niektórych nawet znał. Zauważył, że prawie każdy przynosił coś. Przeważnie chleb i wino, ale również odzież, czasem pieniądze. To wszystko było składane na ogromnym stole u wejścia. Przychodzący witali się, rozmawiali. Starał się słyszeć, o czym rozmawiano. Wszyscy zachowywali się jak dobrzy znajomi, jak przyjaciele, jakby sobie bliscy. Takiej atmosfery, musiał przyznać, jeszcze nigdy i nigdzie nie spotkał. Takiej serdeczności, takiego zainteresowania kłopotami innych. Gdziekolwiek tylko jakaś trudność zaistniała, zawsze ktoś ofiarowywał chętnie swoją pomoc.

Na koniec pojawili się całkiem biedni ludzie. I oni wchodzili w tę grupę jak pomiędzy swoich. Domyślił się, że to chyba dla nich było to ubranie, jedzenie i pieniądze, które znoszono.

Ale największa niespodzianka miała dopiero nastąpić. Nagle spostrzegł jakichś niewolników, którzy weszli do atrium. Patrzył nie będąc pewny, czy go wzrok nie myli. Po co oni tu przyszli? Co to ma znaczyć? — pytał samego siebie. Ale właściwie domyślił się natychmiast. Widział zdumiony, jak niewolnicy włączali się w grupę już zgromadzonych. Zauważył w ich sposobie bycia jakiś cień nieśmiałości, ale poza tym zachowywali się zupełnie normalnie. Tak, jak gdyby byli ludźmi wolnymi. Reszta tak ich też traktowała.

Musiał przyznać, że wchodząc tu liczył się ze wszystkim najgorszym, chociażby na podstawie plotek, które krążyły o chrześcijanach. Ale czegoś takiego się nie spodziewał. To było ponad jego wytrzymałość nerwową. Chciał natychmiast opuścić ten dom. Jeżeli zdecydował się jednak pozostać, to tylko dla Weroniki. „Pozostać muszę, nie wolno mi odejść, nie wolno mi robić przykrości Weronice" — powtarzał sobie. Równocześnie doszedł do przekonania, że odkrycie niewolników u chrześcijan dało mu klucz do uchwycenia charakteru tej sekty.

Przypomniał sobie, co Weronika powiedziała: „Jest jeden Bóg. Bóg Rzymian i Greków, wszystkich ludzi". — „Z tego, co widzę, wynika — myślał

— że chrześcijanie wierzą, że ten ich Bóg jest Bogiem nie tylko ludzi, ale zwierząt i niewolników". — To odkrycie oszołomiło go. Oprzytomniał dopiero, gdy podeszła Weronika i powiedziała:

— Pozostań w atrium, a my wszyscy wejdziemy do wnętrza domu, na łamanie chleba.

— Mnie tam wejść nie wolno? — zdumiał się. Jeszcze raz wezbrała w nim fala oburzenia, gdy patrzył na niewolników wchodzących w głąb domu. „Tym żebrakom i bydlętom wolno, a mnie nie?" Z trudem powstrzymał się, żeby nie zrobić jakiegoś nierozsądnego kroku. Potem wstał i przysłuchiwał się dolatującym go jakimś czytaniom, modlitwom, śpiewom. Uspokajał się powoli. Melodie były proste, ale bardzo pogodne, wręcz wesołe, łatwo wpadające w ucho.

Czekając na Weronikę mógł spokojnie myśleć. To, co tutaj widział, było czymś zupełnie nowym. Innym niż Rzym i Grecja, niż cały świat, w którym dotąd żył. Gdyby to było czysto teoretyczne rozważanie filozofa chrześcijańskiego, można byłoby z tego spokojnie pożartować. Ale to już było życie. Cokolwiek by się o chrześcijanach powiedziało, jedno jest pewne: jeżeli wierzą w Boga, który jest Bogiem ludzi i zwierząt, to zdobyli sobie wszystkich niewolników i barbarzyńców. To, co przed chwilą widział na własne oczy, było czymś tak absolutnie nowym, jak zdobycie ognia przez Prometeusza. W taki sposób nie byli nigdy dotąd niewolnicy przez nikogo traktowani. Wniosek nasuwał się prosty: nie będzie i nie ma niewolnika, który by nie chciał należeć do społeczności chrześcijańskiej. Jeżeli tak — stwierdził z ogromnym przejęciem — to świat jest u progu nowej epoki.

Po chwili przyszła refleksja. Ale co na to wieczny Rzym, Roma aeterna? Co na to dotychczasowy dorobek wieków, pokoleń, myślicieli, wychowawców, na których koncepcji stoi rzymski porządek, pax Romana? Czy cezar i senatorowie rzymscy wiedzą, co tuż za ich plecami się dzieje? Czy wiedzą, kto to są chrześcijanie? Chyba jeszcze nie wiedzą. Ale co się stanie, gdy zdadzą sobie z tego sprawę? Nie było dla niego żadnej wątpliwości, jak zareagują. Nie zgodzą się na tę nową religię, bo by zaprzeczyli samym sobie. To oznacza podważenie porządku Rzymu, wszystkiego, na czym stoi to ogromne imperium. Chyba, że ta religia umrze śmiercią własną. Ale na to się nie zanosi.

Nagle przypomniał sobie. To było przy okazji uczenia się dziejów Rzymu. Pamiętał nawet całkiem dokładnie. To był fragment u Tacyta, opisujący panowanie Nerona. Tacyt pisał, że chrześcijanie podpalili Rzym. Przynajmniej, że o to zostali oskarżeni. Od dawna zostało udowodnione, że to nie chrześcijanie podpalili Rzym, tylko sam Neron. Ale równocześnie teraz stał się dla Tytusa jasny głębszy sens oskarżenia. Pomysł takiego oszczerstwa wcale nie był głupi. Chrześcijaństwo nie grozi spaleniem budynków Rzymu, lecz spaleniem jego ideologii. To wszystko miało miejsce ponad sto lat temu. Od tego czasu, na ile się Tytus orientował, liczba chrześcijan ogromnie wzrosła i stanowią oni jeszcze większe zagrożenie dla Rzymu.

Gdy wracali do domu, gdy robił wyrzuty Weronice, że brata się z niewolnikami, nic nie odpowiadała, tylko uśmiechała się po swojemu. Na koniec stwierdził:

— Byłem na twoim łamaniu chleba, to ty teraz pójdź ze mną na igrzyska gladiatorów.

— Ja naprawdę nigdy nie chodzę na igrzyska i teraz nie mogę. Nie pójdę.

— Dlaczego?

— Dlatego, że nie wolno nikogo zabijać.

— Ludzi nie wolno — zgodził się — ale niewolników, gladiatorów, to co innego, to bydło — oświadczył.

Zamilkła, ale nie wytrzymała i po chwili po cichu powiedziała:

— A twój ojciec? On też był gladiatorem. Nie wiesz o tym?

— Wiem.

— Więc jak mogłeś tak powiedzieć.

— Mój ojciec zawsze zwyciężał.

To nie była właściwa odpowiedź. Obydwoje o tym wiedzieli. Po chwili Weronika odezwała się pojednawczo:

— Wiesz co, chodźmy, coś ci pokażę.

— Co? — spytał zaciekawiony.

— Ty widzisz tylko tych, którzy zwyciężają, a nie patrzysz na tych, którzy giną i umierają.

I poszli. Zaprowadziła go w jakąś odległą biedną dzielnicę. Mała chatka, bardzo biedna. Wewnątrz leżał człowiek z płową czupryną, wychudły i zniszczony chorobą, okręcony w szmaty. Najwidoczniej leżał już długo w takiej nędzy. Weronika chwilę z nim porozmawiała. Zostawiła jedzenie i świeże bandaże, przeprosiła, że tak krótko u niego będzie, ale jest zajęta. Obiecała, że wkrótce przyjdzie i wyszła.

Gdy wracali do swoich domów, wypytywał Weronikę o tego biedaka. Jak się okazało, opiekowała się nim od dłuższego czasu. Była prawie codziennie u niego.

— Bo wiesz, tyś chciał wiedzieć, co to znaczy być chrześcijaninem. Trudno wytłumaczyć, ale powiem ci tyle, że naszym obowiązkiem jest właśnie to, co robię.

— Skąd ty go znasz? — spytał podejrzliwie, nie słuchając tego, co do niego mówiła.

— To było dawno. Kiedyś ktoś, gdy byliśmy na łamaniu chleba, opowiedział o rannym gladiatorze, którym nie ma się kto opiekować. Ponieważ miałam czas, zgłosiłam się i odtąd prawie co dzień przychodzę do niego. Może kiedyś jeszcze stanie na nogi.

Nasunęła mu się pewna myśl:

— Czy wiesz przypadkiem, gdzie on odniósł tę ranę?

— Tak. Tu w mieście, podczas igrzysk.

Niepokój w nim wzrósł:

— Czy wiesz przypadkiem, w walce z kim został ranny? Kto go ranił?

— To twój ojciec go pokonał.

Umilkł jak uderzony. Po chwili spytał ją:

— Czy pozwolisz, abym z tobą przychodził, abyśmy razem się nim opiekowali?

— Oczywiście.

I tak rozpoczęło się jego chrześcijaństwo od tego ciężko rannego gladiatora. Zresztą o tym wszystkim nikomu nie opowiadał. Również ojcu nic nie mówił. Nie widział potrzeby, żeby zawracać mu głowę takimi sprawami.

Aż razu pewnego, gdy wracał z wizyty u gladiatora, kowal zapytał go:

— Gdzie byłeś?

Nie chciał dłużej skrywać przed ojcem, co się ostatnio działo. Skorzystał z okazji, aby mu wszystko przedstawić.

— Byłem z Weroniką u chrześcijan.

— A co ona tam robiła? Po co do nich poszła?

— Ona jest chrześcijanką.

— Chrześcijanką?

Ojciec był zdumiony, wręcz przerażony. Tytusowi przypomniało się, że jego reakcja była podobna.

— Zdawało mi się, że to sekta religijna, do której należą tylko niewolnicy.

— Ależ skąd, tam należy wielu patrycjuszów.

Kowal nie był zorientowany, kto to są ci chrześcijanie. Ale jakoś uważał tę sprawę za nieczystą, niewyraźną. Nie chciał jednak wprost Tytusowi zakazywać kontaktu z chrześcijanami, przede wszystkim ze względu na ojca Weroniki, sędziego miejscowego, na którym mu bardzo zależało. Poza tym lubił Weronikę. Zawdzięczał jej, jej wpływowi, że Tytus tak się zmienił na korzyść. Przyznawał, że gdyby nie Weronika, no i może, gdyby nie ci chrześcijanie, to jego syn mógłby zupełnie pójść na złe drogi. Ale gdy dowiedział się, że Tytus regularnie tam chodzi, a poza tym odwiedza jakichś chorych, czy ciężko rannych, zaniepokoił się i powiedział, że sobie tego nie życzy.

— Możesz kontaktować się z chrześcijanami, ale nie chcę, żebyś schodził pomiędzy najniższe doły społeczne.

Tytus skwitował tę jego wypowiedź milczeniem.

Pewnego dnia ojciec Weroniki przyszedł do kowala. Sędzia był najwyraźniej zaniepokojony a nawet zmartwiony. Otrzymał pismo z Rzymu, a w nim nakaz rejestracji wszystkich chrześcijan. Powiedział dalej, że na ile on się orientuje, to wygląda tak, iż nastąpią jakieś represje wobec ludzi wyznających Chrystusa.

Kowal przestraszył się tą wiadomością. To już nie była sprawa chodzenia do chorych. Znowu wziął Tytusa na poważną rozmowę.

— Muszę ci powiedzieć, że mam jak najgorsze przeczucia. Po tym wszystkim, co widzę, co zaczyna się dziać, boję się, że może się powtórzyć historia sprzed stu lat, kiedy cesarz Neron prześladował chrześcijan.

— Przecież chrześcijanom chyba nie mają do zarzucenia nowego spalenia Rzymu — Tytus usiłował obrócić całą sprawę w żart, choć wiedział, że nie pora na to.

— Zarzut łatwo dorobić.

Tym razem Tytus już poważnie odpowiedział:

— A jakie masz wnioski odnośnie do mnie i Weroniki?

— Chcę, żebyś zerwał z chrześcijanami, bo po prostu boję się o ciebie — powiedział krótko kowal.

Tytus nie spodziewał się, że aż tak daleko idące żądanie ojciec wysunie. Po chwili namysłu zdecydował się:

— Zgoda, rozumiem cię. Nie chcę, żebyś się martwił. Przyrzekam ci, że nie będę chodził do chrześcijan na łamanie chleba. Ale proszę cię, nie żądaj, abym musiał zrywać z Weroniką.

— Dobrze — zgodził się kowal.

I na tym stanęło.

Tymczasem przewidywania sędziego, niestety, zaczynały się spełniać. Już po krótkim czasie przyszły kolejne zalecenia z Rzymu. Nakazano wszystkich zarejestrowanych chrześcijan wzywać i żądać od nich, aby przed posągiem bogini Rzymu złożyli ofiarę.

— Wystarczy wziąć garść kadzidła i rzucić na ogień, oddając w ten sposób hołd bogini Rzymu — referował ojcu Tytus.

— To jest czysta formalność — stwierdził kowal. — Co myśli o tym Weronika?

— Nie rozmawiałem z nią jeszcze.

Kowal sam zdecydował się na rozmowę z Weroniką, ale nie był pewny wyniku. Spróbował tłumaczyć jej tak, jak to mówił i do Tytusa:

— W końcu jest to czysta formalność. Przecież sama mówisz, że nie jest ważne, co ludzie o nas myślą i mówią. Rzucisz kadzidło dla świętego spokoju. — Czekał na to, co odpowie.

— Nie mogę się zaprzeć Chrystusa.

To było pierwsze i ostatnie słowo Weroniki na ten temat. Jeszcze nieraz przy spotkaniach z nią starał się przedstawić jej swój punkt widzenia w tej sprawie. Ale ona uparcie to samo powtarzała. Nie wiedział, jak jej pomóc. Zaczął szukać rozwiązania pomiędzy samymi chrześcijanami. Ryzykując swoją własną opinię, nawiązał kontakty z nimi. Tak jak przypuszczał, panowało wśród nich duże zamieszanie i różnica poglądów. Byli tacy, którzy myśleli tak jak on. Trzeba się po prostu ratować, bo nie ma sensu tracić życia dla jakiegoś przepisu. Byli tacy, którzy uważali, że należy być ponad to wszystko, czym jest państwo rzymskie, że ono jest nieważne — jak to mówili — „ważne jest tylko Królestwo Niebieskie". Wobec tego wszystkie akty państwowe nie obowiązują. Byli jeszcze inni, którzy szli dalej, twierdząc, że państwo rzymskie jest dziełem szatana, stąd wszystkie jego akty prawne są szatańskie, wobec tego każde oświadczenie wobec sądu jest dozwolone. Wreszcie byli i tacy jak Weronika: nieustępliwi. Tymi ostatnimi się nie interesował. Był ciekawy, jak ci pierwsi dają sobie radę. Stwierdzał, że w przeważnej większości uciekli oni z miasta na prowincję, gdzie rozporządzenia były opóźnione albo nie przestrzegane ściśle. Zdecydowali się przeczekać na prowincji tę falę terroru, stojąc na stanowisku, że wiecznie to nie będzie trwało. Część z tych, którzy już byli zarejestrowani i nie mogli z jakichś powodów miasta opuścić, decydowała się na złożenie czci bogini Romy, traktując to jako czysto formalny akt. Inni, którzy nie chcieli się na to zdecydować, uzyskiwali z pomocą przekupstwa czy znajomości dokument, który poświadczał, że dokonali aktu złożenia czci bogini Rzymu.

Na tej drodze zdecydował się również kowal przyjść Weronice z pomocą. Za duże pieniądze uzyskał poświadczenie, że Weronika dopełniła aktu złożenia ofiary bogini Rzymu w jakiejś odległej mieścinie i przyniósł jej to. Nie był pewny reakcji.

Obawiał się, że Weronika może na to się nie zgodzić. I rzeczywiście tak się stało.

— Co chcesz ode mnie, żebym kłamała? Chciałbyś, ażebym zaparła się w takiej sytuacji swoich przekonań?

— Zrozum, wielu rozsądnych chrześcijan, bo przecież ich poznałem, decyduje się na taki krok. Nie będziesz ani pierwsza, ani ostatnia. Nie uważaj siebie za najmądrzejszą — powiedział surowo.

Weronika była nieustępliwa:

— Jeżeli inni mogą ginąć, dlaczego ja nie mam zginąć tak jak i inni. Dlaczego ja mam się wykręcać i wypierać Chrystusa. On powiedział: „Kto się mnie zaprze przed ludźmi, ja się go zaprę przed Ojcem moim, który jest w Niebiesiech".

Uznał to za młodzieńczą brawurę, ale nie miał na nią rady. Próbował jeszcze parę razy wpływać na Weronikę z pomocą jej ojca. Niestety, żadne perswazje nie odniosły skutku.

Przyszły aresztowania. Wszyscy, którzy nie złożyli ofiary bogini Rzymu, zostali umieszczeni w więzieniu. Weronika również. Kowal był w tym czasie na prowincji. Po powrocie wszedł do pokoju Tytusa. Na stole leżał list od niego. Tknięty najgorszymi przeczuciami kowal zaczął go czytać. „Idę z Weroniką do więzienia. Nie jestem chrześcijaninem, ale nie mogę jej opuścić w takiej sytuacji".

Kowal ze ściśniętym sercem poszedł tam. Znał kazamaty więzienne. Wiedział, jak bardzo są zimne, ciemne i śmierdzące. Poprosił o widzenie się z synem. Łatwo uzyskał zgodę. Duże sale, duże lochy, w nich gromady ludzi wychudłych, cierpiących, obojętnych albo wściekłych. Chrześcijanie nie byli umieszczeni w osobnych celach, ale razem z przestępcami najrozmaitszego gatunku. Wreszcie odnalazł Tytusa i Weronikę. Najpierw podszedł do niego Tytus. Dzieliła ich tylko gruba krata. Stał przy nim bez słowa. Nie był w stanie nic powiedzieć, chociaż obiecywał sobie, że jeszcze może uda mu się skłonić Tytusa do powrotu do domu. Tytus coś mówił, tłumaczył się:

— Nie mogłem inaczej — powtarzał wciąż te same słowa, które napisał w liście.

Potem przyszła Weronika. Była spokojna, choć bardzo poważna. I bardzo zdecydowana wytrwać w postanowieniu. Oczywiście zaznaczyła, że Tytus niepotrzebnie przyszedł tutaj z nią, że powinien zostać w domu.

Odtąd kowal codziennie starał się być w więzieniu, tym bardziej, że ojciec Weroniki z racji swojego urzędu nie mógł tam przychodzić. On zresztą ze względu na to, że Weronika była jego córką, był wyłączony zupełnie od prowadzenia spraw chrześcijan. Pozostawał pod ścisłą obserwacją. Każdy ruch jego był kontrolowany, tak, że nie miał żadnych możliwości działania.

Kowal za każdym spotkaniem przynosił im wieści ze świata, z domu, z miasta, z prowincji, z Rzymu, które docierały do niego. Czasem opowiadał im — ostrożnie, żeby nie dotknąć Weroniki, albo żeby nie wywołać w niej przeciwnej reakcji — o chrześcijanach, którzy przestraszeni groźbą kary śmierci wycofywali się ze swojego stanowiska, składali ofiarę bogini Rzymu i wychodzili z więzienia na wolność. Zresztą o tych faktach ona też wiedziała.

Równocześnie, widząc że tą drogą nic nie uzyska, przygotowywał inną akcję wraz z ojcem Weroniki: wyrwanie Tytusa i Weroniki z więzienia. To przy pewnym wysiłku i ryzyku było do przeprowadzenia. Planował potem wysłać ich gdzieś daleko, by mogli ukryć się na czas prześladowań. W końcu ten koszmar nie mógł trwać wiecznie. Rzecz w tym, aby przetrzymać rok, może dwa. Z ojcem Weroniki przygotowywali wszystko bardzo dokładnie, żeby nie popełnić jakiegoś fałszywego kroku, nie spowodować konsekwencji dla swoich domów. Dopiero wtedy, gdy wszystko było już przygotowane, poinformował Weronikę i Tytusa o szczegółach ucieczki. Napotkał zdecydowany opór Weroniki. To go zaskoczyło.

— A co inni powiedzą, ci, którzy nie mieli tyle pieniędzy na przekupstwo i przygotowanie ucieczki? A więc oni mogą zginąć, a ja nie? Może... — tu przerwała, kowal czekał na te słowa jak na wybawienie — może gdybyśmy jeszcze przed aresztowaniem opuścili miasto. Ale teraz — znowu się poderwała — teraz jest już na to za późno.

— Nie rozumiem. Wytłumacz, dlaczego?

— Moja ucieczka byłaby zgorszeniem. Wielu chrześcijan mogłoby się załamać. Uważam, że od mojego stanowiska zależy i ich postawa.

Nie wiedział, co jej na to wszystko odpowiedzieć.

Niespodziewanie przyszedł rozkaz z Rzymu wykonania wyroków śmierci na tych, którzy nie dopełnili wymaganego aktu. Jako jedna z pierwszych została wyznaczona właśnie Weronika. Czy ktoś się przypadkiem o tym dowiedział, czy też ktoś zdradził zamiar ucieczki z więzienia przygotowywanej przez kowala, trudno dociec.

Nie było żadnych szans, ażeby uratować Weronikę. Wszystkie możliwości zostały wyczerpane. Trudność tkwiła przede wszystkim w niej samej. Jako ostateczna ewentualność pozostawał cezar. Ojciec Weroniki zdecydował się jechać do Rzymu, ażeby interweniować u cezara: prosić o łaskę. Oczywiście pozostawało pytanie: czy zdąży? Gdy kowal usiłował dowiedzieć się daty wykonania wyroku na Weronice, otrzymywał odpowiedzi wymijające. Nie wyglądało na to jednak, ażeby to miało nastąpić szybko. Trzeba było ryzykować.

Jednakże na drugi dzień po wyjeździe sędziego przyszła wiadomość, że wyrok na Weronice zostanie wykonany podczas igrzysk, jakie mają odbyć się w najbliższych dniach. Kowal wysłał specjalnego gońca, aby zawrócić z drogi sędziego.

W dzień igrzysk kowal ze ściśniętym sercem poszedł do teatru. Wiedział już, że Weronika ma zginąć rozszarpana przez lwa. Jak zwyczaj każe, miała otrzymać miecz i tarczę. Gdy pokona lwa, będzie wolna. Zupełny nonsens. Po pierwsze Weronika nie umiała posługiwać się ani mieczem, ani tarczą, a po drugie było wątpliwe, czy by w ogóle tę walkę podjęła.

Amfiteatr wypełniały tłumy ludzi. Kowal zajął swoje miejsce przy bandzie wraz z grupą znajomych. Atmosfera była niezwyczajna. Panowało napięcie i skupienie. Rozmawiano prawie półgłosem. Wszyscy wiedzieli, że igrzyska poprzedzi wykonanie wyroku śmierci na Weronice, córce sędziego. Konsul dał znak.

Otworzono boczne drzwi i wtedy kowal zobaczył ku swemu przerażeniu, że na arenę wychodzi Weronika z Tytusem. Patrzył, oczom swoim nie wierząc. Poczuł, że zimny pot występuje mu na całym ciele, jakby go kto wodą oblał. Jego usta stały się nagle suche, tak że z trudem wybełkotał:

— Co to ma znaczyć? — mechanicznie powtarzał to zdanie trochę do siebie, trochę do współsiedzących. — Dlaczego on wyszedł na arenę? Może chce ją odprowadzić? — jeszcze sam siebie uspokajał.

Tymczasem Tytus i Weronika, trzymając się za ręce, otoczeni grupą żołnierzy doszli do środka areny i tam przystanęli. Nagle zobaczył, że któryś ze strażników położył u ich stóp dwa miecze i dwie tarcze.

Wszystko stało się jasne. Żołnierze zaczęli odchodzić w kierunku skąd przyszli, pozostawiając na środku Tytusa i Weronikę. Kowal liczył jakimś rozpaczliwym aktem nadziei, że teraz Tytus weźmie w objęcia Weronikę, pożegna się z nią i pójdzie za żołnierzami. Konsul dał kolejny znak. Kowal zrozumiał, że już wszystko przepadło, że Tytus zdecydował się zginąć wraz z Weroniką. Z przeciwległej strony areny otworzono drzwi. Uwaga wszystkich skupiła się na czarnym otworze. Po chwili wysunęła się z niego głowa lwa, wreszcie ukazało się ogromne zwierzę w całej okazałości. Lew oślepiony słońcem przystanął nieruchomo. W momencie, gdy go Weronika i Tytus zobaczyli, rozłożyli ręce. Dwa krzyże stojące na środku areny. W ciszy, która wciąż trwała na stadionie, kowal nagle usłyszał swój okrzyk:

— On nie jest chrześcijaninem!

Głos, który niespodziewanie wybuchł, nie zburzył ciszy. Amfiteatr obserwował wszystko uważnie. Gest skazańca widzowie odczytali jednoznacznie: jako odmowę walki. Rozległy się gwizdy niezadowolenia. To byli ci, którzy znali Tytusa jako świetnego fechtmistrza, i spodziewali się, że będą świadkami wspaniałego widowiska. Tymczasem zwierzę zaczęło przecinać arenę w kierunku stojących bez ruchu ludzi. Lew był najwyraźniej zgłodniały.

— Broń się! — wykrzyknął kowal głosem pełnym rozpaczy.

Ale Tytus jakby tego nie słyszał. Stał w dalszym ciągu z rozkrzyżowanymi ramionami. Kowal machinalnie złapał się za pas, ale nie miał przy sobie miecza. Nikt z wchodzących na igrzyska nie mógł wnosić ze sobą broni. Jedyna broń, która była, to te dwa miecze leżące na środku. Kowal szarpnął się, jednym susem przeskoczył wysoką bandę, spadł z dużej wysokości na piasek areny. „A teraz tylko byle szybciej. Może zdążę dobiec do miecza".

Lew natychmiast zauważył go. Przestał interesować się stojącymi nieruchomo postaciami. Uznał za wroga tego biegnącego człowieka. Zmienił kierunek i szybkimi, miękkimi ruchami zaczął zbliżać się w stronę kowala. Odległość pomiędzy nimi zmniejszyła się błyskawicznie. Nagle kowal kątem oka zobaczył lecący ogromny pocisk ciała zwierzęcia. Rzucił się na ziemię, żeby nie dać się powalić. Liczył na to, że lew przeleci nad nim, a wtedy jeszcze uda mu się może dosięgnąć mieczy. Ale nie zdążył. Poczuł tylko, jak ciężar lwa przywalił go do ziemi. Zdawało mu się, że miażdży mu wszystkie kości. Poczuł straszliwy ból w okolicy karku i stracił przytomność.

Nie widział już tego, że w tym momencie Tytus schylił się po miecz i skoczył na lwa. Wyuczonym w szkole szermierczej ruchem uderzył zwierzę tuż pod łopatką, zabijając je na miejscu.

KRZYSZTOF

Dawno temu żył chłopiec nazwiskiem Reprobus. Był niepospolicie silny i tylko siłę cenił i uznawał. Postanowił sobie, że będzie służył temu, kto jest najpotężniejszy. Po namyśle zdecydował się oddać swoją siłę na służbę królowi, bo uznał, że on jest tego najbardziej godny. Zaciągnął się do wojska.

Przełożeni bardzo szybko docenili jego uzdolnienia. Został gruntownie przeszkolony i wcielono go do królewskiej gwardii. W krótkim czasie Reprobus doznał jeszcze większego wyróżnienia: król przydzielił go do swojej bezpośredniej ochrony osobistej. Spełniło się jego marzenie. Był blisko tego, kogo uważał za największego na ziemi. Król był potężnym monarchą. Bali się go jego podwładni, ale przede wszystkim bali się go wrogowie. Reprobus czuł się tak, jakby sam osobiście uczestniczył we wszechwładzy królewskiej. Był zawsze na rozkazy. Wypełniał sumiennie polecenia. Król ufał mu. Bez niego nie ruszał się ani na krok. I tak płynęły lata. Reprobus żył wpatrzony w króla jako w swego absolutnego pana. Oddał mu się całym sercem. Chciał mu służyć do końca swoich dni.

Aż razu pewnego, gdy szedł w ciemną noc tuż obok niego, spostrzegł nagle, jak król drgnął i przystanął. Spytał go:

— Co się stało?

Wtedy zobaczył, że król drży ze strachu.

— Co się stało? — powtórzył.

Król, jeszcze wciąż wstrząśnięty, odpowiedział:

— Widziałeś?

— Co miałem widzieć?

— To czarne stworzenie, które przebiegło nam drogę.

— Tak.

— Mnie się zdawało, jakby to był sam szatan.

— No, a gdyby nawet sam szatan, to co — pytał króla. — Panie, czy ty boisz się szatana?

— Każdy człowiek się boi — odpowiedział król.

— A ja myślałem, że ty się niczego nie boisz.

Ruszyli w dalszą drogę. Na pozór zdawało się, że nic nie zaszło, ale naprawdę coś się w życiu Reprobusa złamało. Wszystko, co w jego życiu było wspaniałe, straciło swoją barwę. To, czym żył — straciło swój sens: „Zawsze chciałem służyć temu, kto jest najpotężniejszy. Zdawało mi się, że takim jest mój król, a tymczasem okazało się, że on się boi szatana".

Pytał ludzi o szatana. Pytał, jak można szatanowi służyć. Pytał wielu. Napotykał wciąż tę samą odpowiedź: ten służy szatanowi, kto źle postępuje. Początkowo nie był w stanie tego pojąć, ale im bardziej źle postępował, tym lepiej to rozumiał. A postępował coraz gorzej: rozpił się, wszczynał awantury, przeklinał, bił ludzi. Wobec przełożonych zachowywał się zuchwale. Wreszcie został upomniany przez króla:

— Co się z tobą dzieje? Dlaczego tak się zmieniłeś?

Odpowiedzał mu:

— Gdy myślałem, że ty jesteś najpotężniejszy, wtedy ci służyłem. Teraz, gdy się przekonałem, że boisz się szatana, chcę służyć szatanowi.

Zaczęto obawiać się, że może targnąć się na życie króla. Usunięto go więc z tego stanowiska, które dotąd zajmował: przestał należeć do straży przybocznej króla. Usunięto go również z gwardii królewskiej. Poczuł się obrażony. Nawymyślał przełożonym. Za ubliżanie zwierzchnikom został zamknięty w areszcie wojskowym. Wtedy doczekał nocy, wyłamał kraty i zbiegł z więzienia.

Od tego czasu zaczął wieść zbójecki żywot. Wraz ze zgrają podobnych do niego ludzi napadał na domy, na pojazdy, włamywał się do sklepów, rabował, kradł, zabijał. Rosła w nim nienawiść do wszystkiego i do wszystkich. Robił ludziom na złość. Niszczył, demolował, palił nawet bez potrzeby zysku. Psuł mosty, wyrywał drzewa i rzucał na drogę, rozwalał szałasy pasterzom. Zaczepiał bez powodu ludzi, naigrawał się, wszczynał bijatyki w karczmach, na ulicy. Kaleczył, ranił. Wyśmiewał płaczących, lamentujących, skrzywdzonych. Mówili o nim, że jest pachołkiem szatańskim, że szatan w niego wstąpił, że szatan go opętał. Śmiał się z tego, ale musiał przyznać, że chyba tak było. Zdawało mu się, że czuje szatana w swojej duszy, że zło nim zawładnęło, kieruje nim, że nim rządzi. Czasem zdawało mu się, że szatan namawia go, wskazuje mu, co ma robić, poucza go. Czasem zdawało mu się nawet, że szatan z nim rozmawia.

Razu pewnego, gdy szedł drogą i myślał o kolejnym rabunku, zobaczył krzyż na rozstajnych drogach. Nieraz tamtędy przechodził, ale nigdy nie zwrócił na niego uwagi. Odruchowo przystanął. Zaczął przyglądać się wizerunkowi Chrystusa: głowa opleciona koroną cierniową spuszczona na piersi, ciało poranione razami biczów, dłonie i stopy rozepchnięte gwoździami. Przyszły mu na pamięć te wszystkie zdarzenia z życia Jezusa, o których słyszał jako dziecko: o tym, jak Jezus skazany został na śmierć, choć tyle dobrego robił dla ludzi. I że wtedy, gdy wisiał na krzyżu, zamiast przeklinać tych wszystkich, którzy Mu urągali, modlił się za nich, a bandycie wiszącemu obok obiecał niebo. I gdy tak rozmyślał nad tajemnicą Jezusa, spostrzegł, że coś się w nim zmieniło, że jakby, jakaś światłość jego duszę wypełniła, jakby coś w nim odtajało. Dopiero teraz zdał sobie sprawę z tego, że przedtem był w nim mrok, zimno i smutno, a teraz nagle stał się szczęśliwy jak za dawnych dziecinnych lat. Powróciła tęsknota za tamtym światem, który utracił, pragnienie, aby żyć tak jak dawniej. Ale otrząsnął się. — „Trzeba chodzić po ziemi" — pomyślał sobie. Oderwał się od wpatrywania się w Chrystusa i ruszył w dalszą drogę. Wróciły myśli o planowanym rabunku, wróciła nienawiść. Zdawało mu się, jakby cień położył się znowu na jego duszy. Zapytał szatana:

— Co się z tobą działo? Gdzie byłeś, czemu odszedłeś?

— Odszedłem? Ach nie, skądże. Zdawało ci się chyba.

Nie zadowoliła go ta odpowiedź. Wrócił niepokój, który kiedyś wybuchł przy królu. Postawił szatanowi wyraźne pytanie:

— A czy tyś się przypadkiem nie przeląkł?

— Ja? Przeląkł? Tego tam? Też coś. Przecież ja jestem najpotężniejszy na całym świecie. Przecież mnie się wszyscy boją.

Ale to wyjaśnienie zabrzmiało Reprobusowi fałszywie. Te pośpieszne zapewnienia szatana wywołały w nim jeszcze większy niepokój. Znowu kiedyś przy okazji podszedł pod krzyż. Najpierw stanął przed nim, potem ukląkł, oparł głowę o drzewo krzyża. Nie umiał się modlić: zapomniał wszystkie modlitwy, których go uczyła jego matka, trwał tylko tak skupiony pod krzyżem. Odczuł znowu ten sam spokój, ciszę, szczęście w swojej duszy co poprzednim razem. Teraz już wiedział, że się nie myli. Szatan bał się Jezusa. Wniosek z tego wypływał dla niego jasny: należy służyć Jezusowi, którego boi się szatan.

Pytał ludzi, jak można służyć Jezusowi. Powiedzieli mu, że trzeba postępować tak jak On. Odesłali go zresztą do starego pustelnika.

— Co ja mam robić, aby tak postępować jak Jezus?

Stary pustelnik pogładził się po siwej brodzie i powiedział:

— Nic ci więcej nie mogę doradzić. Tylko to: bądź dobry dla ludzi, tak jak On był dobry.

Naciskał:

— Mów konkretnie co?

— Masz robić to, co potrzeba. Pomagać ludziom, w czym oni nie mogą sobie poradzić.

Nie ustępował:

— Nic mi to nie mówi. Konkretnie co?

Pustelnik zastanowił się. Po chwili odrzekł:

— Jest tu w okolicy taka rzeka. Znasz ją zresztą bardzo dobrze. Już niejednokrotnie budowano na niej mosty, ale woda je zrywa. Zwłaszcza wiosną i jesienią, gdy przychodzą wylewy. Owszem jest bród. Kto bogaty, przejeżdża karocą czy ciężkim wozem. Inni muszą przechodzić wpław. Nieraz już tak bywało, że biedni, dzieci, starcy tu zginęli. Jesteś wielki jak piec, silny jak tur. Pomagaj tym ludziom w przeprawie przez rzekę.

Zapalił się do tej propozycji:

— Dobrze. W porządku, mogę przenosić ludzi. Stać mnie na to.

I tak został. Przenosił ludzi. Zbudował sobie szałas na brzegu rzeki. Gdy ktoś chciał być przeniesiony na drugą stronę, po prostu przychodził do niego i o to prosił. Gdy ktoś z drugiej strony rzeki chciał być przeniesiony, wołał do niego. Woda była rwąca, zimna, niebezpieczna, śliskie kamienie, ale on ogromny, silny, nie bał się. Nawet gdy woda mu sięgała po piersi, był w stanie z łatwością dwoje ludzi nieść na swoich ramionach.

Jego dawni koledzy dowiedzieli się o tym. Przychodzili. Siadywali na brzegu, podśmiechiwali się z niego, żartowali, że zdobył nową robotę. Pytali, jak mu się powodzi, ile na niej zarabia. Chcieli go wyciągnąć z powrotem, włączyć do swojej bandy, żeby powróciły dawne dobre czasy, gdy on nimi przewodził. Ale jemu ani w głowie było wracać do tamtych lat.

Było mu dobrze w tej nowej pracy. Został na brzegu. Po raz pierwszy w życiu zobaczył łzy wdzięczności na twarzach ludzi, uśmiech serdeczny skierowany ku sobie. Usłyszał słowa prawdziwego podziękowania. Kiedyś dziecko przyniosło mu garść kwiatów. Innym razem jakaś staruszka podarowała mu kurę. Śmiał się, że będzie musiał — jak tak dalej pójdzie — nauczyć się krowy doić. Ale to nie były żarty. Ludzie z wdzięczności za to, że im pomaga, opiekowali się nim. Z tego, co mu przynosili, mógł żyć: ubogo, lecz wystarczająco. Nawet miał dla tych, którzy przychodzili do niego. A przychodzili i to coraz częściej — dla wszystkich był otwarty jego szałas. Reprobus był coraz bardziej zajęty. I to wcale nie tylko w związku z przenoszeniem ludzi przez rzekę. Niespodziewanie pojawiły się nowe sprawy. Przyplątały się jakieś bezdomne dzieci — sieroty. Potem jakieś bezradne staruszki i starcy bez dachu nad głową. Zostali przy nim. Znaleźli przy nim osłonę, pomoc.

Lata płynęły. Czas posrebrzył jego ciemną czuprynę. Dokuczał mu reumatyzm, którego się nabawił przez częste przebywanie w zimnej wodzie.

Razu pewnego w jesienną noc, taką dżdżystą, zimną, wietrzną, kiedy dokuczały mu bóle w stawach i nie mógł zasnąć, poczęły się w jego sercu rodzić wątpliwości: czy to wszystko ma sens. — „Czy ma sens to, co ja robię. Czy to wszystko jest prawdą, w co ja wierzę. Czy Boga w ogóle obchodzi to moje postępowanie. Czy to prawda, że służę Jemu, służąc ludziom". — I tak w tę słotną noc z godziny na godzinę coraz bardziej tamte prawdy, na których budował swoje życie, traciły siłę. To, co widział dotąd wyraźnie, teraz rozwiewało się jak mgła, nikło, topniało jak śnieg. I poczuł się nagle bez gruntu pod nogami. Samotny. Opuszczony w ciemności. Coraz bardziej ogarniało go przerażenie sytuacją, w jakiej się znajdował. Jak nigdy dotąd, po raz pierwszy w swoim życiu, zobaczył się starym, zniszczonym człowiekiem. — „Tyle lat upłynęło, a ja nawet nie mam swojego domu. Żadnego zabezpieczenia na stare lata, na wypadek choroby, która tuż obok mnie. Jeszcze chwila, a będę jak ci starcy, którymi ja się teraz opiekuję". — To go przestraszyło najbardziej. — „Nie, nie chcę. Nie będę taki. Nie chcę na stare lata żebrać. Nie chcę się tułać bez dachu nad głową". — Szukał na gwałt jakiegoś ratunku, rozwiązania. — „Nie jestem jeszcze przegrany. Nic nie jest stracone. Jestem dosyć silny, potrafię rękami rozrywać kraty, wyginać sztaby, rozbijać zamki. Mam tyle rozumu, żeby zrobić parę dobrych interesów, jeszcze będę miał ręce pełne pieniędzy. Stać mnie na to. Skrzyknę swoich dawnych kolegów, zbiorę swoją bandę, zrobimy parę napadów i będę miał znowu ciepłe życie. Będę miał duży dom pełen pięknych mebli, służbę. Nie będę musiał się martwić o swoją przyszłość. Będę miał wygodną starość". — Uspokoił się tym rozwiązaniem, tą decyzją. — „Jutro rzucam tę budę i to całe towarzystwo, które się do mnie przyczepiło". —

Z tym postanowieniem usiłował zasnąć. Nagle wydało mu się, że słyszy z daleka wołanie. Poprzez szum deszczu, wycie wiatru przebijał się słaby głos. Z drugiej strony rzeki ktoś wołał o przeniesienie. Mruknął do siebie półgłosem:

— Oj nie, to już nie dzisiaj. To wczoraj. Od dzisiaj przestałem ludzi przenosić.

Odwrócił się na bok, usiłował zasnąć. Wołanie powtarzało się. Nakrył głowę kocem. Starał się nie słuchać. Ale głos nalegał. Reprobus nie wytrzymał nerwowo. Powiedział:

— Dobrze, ale ostatni raz.

Odrzucił koc. Wstał. Wyszedł na dwór. Uderzył w niego wiatr, deszcz, ciemność. Machinalnie, wyuczonymi od lat krokami, jak zawsze doszedł do brzegu, wszedł w rzekę. Woda była lodowata. Zanurzył się powyżej pasa, prawie po barki, przeszedł na drugą stronę. Rozejrzał się w ciemności. Spostrzegł stojące dziecko. To ono wołało o przeniesienie. Nawet nie spytał, co ono tu robi o tak późnej porze, wsadził je na ramię i wszedł z powrotem w wodę. Zatopiony w swoich myślach opamiętał się dopiero po chwili. Stwierdził, że stoi na środku rzeki nie mogąc kroku zrobić. Nogi miał jak wrośnięte w dno. Dziecko ciążyło mu nieprawdopodobnie. Stęknął:

— Ależ ty ciężki jesteś. Zdaje mi się, jakbym świat cały niósł na barkach.

Nagle usłyszał odpowiedź:

— Bo niesiesz Syna Stworzyciela świata.

Podniósł oczy i zobaczył, że ten chłopczyk to Dziecię Jezus. Wpadł w taki zachwyt, że nie czuł zimna, wiatru, lodowatej wody, zapomniał, że to noc. Wszystko przestało istnieć, a był tylko On: Jezus, który mu się ukazał. Jak długo trwało to olśnienie, nie wiedział.

Gdy oprzytomniał, wiatr znowu wiał, deszcz siekł, woda była lodowata, on stał w ciemnościach na środku rzeki — na ramionach jego nikogo nie było. Wrócił do swojej chaty i szczęśliwy do śmierci przenosił ludzi.

Starożytność chrześcijańska nazwała go noszący Chrystusa — Christoforus, a Polacy — Krzysztof.

JEST TAKI KWIAT

Za siedmioma górami, za siedmioma rzekami, za siedmioma lasami, żyła królewna, jedyna następczyni tronu, która była taka zła jak piękna. A była bardzo piękna. Nie było dnia, żeby komuś jakiejś krzywdy nie wyrządziła. Była nieznośna dla swojego otoczenia, nieposłuszna wobec swoich rodziców, dokuczała ludziom pracującym w pałacu. Od samego rana, od przebudzenia się dokuczała dziewczętom pokojowym, które pomagały jej ubierać się. Przy śniadaniu grymasiła, nie chciała jeść, przeciągała posiłek w nieskończoność. Była arogancka dla nauczycieli, którzy przychodzili, by ją uczyć. Przy obiedzie dochodziło często do awantur. Potrafiła rzucać talerzami, wywrócić wazę z zupą, wytrącić usługującym tacę z posiłkiem a nawet ściągnąć obrus ze stołu, wraz z zastawą. Po południu nie chciało się jej odrabiać lekcji. Wobec gości którzy przychodzili z wizytą do jej rodziców, zachowywała się nieuprzejmie, czasem wręcz bezczelnie. Nie miała żadnych przyjaciół. Wszyscy bali się jej złości. Jedno co naprawdę kochała, to były kwiaty. Godzinami potrafiła siedzieć w ogrodzie, doglądała robotników pracujących tam, pielęgnowała kwiaty, własnymi rękoma plewiła grządki i przycinała gałązki, okopywała. Niektórzy mówili, że nawet rozmawia z kwiatami.

Razu pewnego przyjechał w odwiedziny król z sąsiedniego królestwa wraz z małżonką i swoim synem. Królewna, aby dokuczyć rodzicom, zapowiedziała, że nie przyjdzie na przyjęcie i faktycznie nie przyszła. Niespodziewanie tylko wpadła na moment do sali, gdzie ucztowano. Wszyscy zamarli ze strachu. Zrobiła się cisza. Nawet orkiestra przestała grać. Ale na szczęście nie doszło do żadnej awantury. Bez jednego słowa przeszła przez salę i znikła. Wszyscy odetchnęli z ulgą. Wtedy właśnie królewicz zobaczył ją i od pierwszego wejrzenia zakochał się w niej. Po powrocie do domu oświadczył swoim rodzicom:

— Chcę królewnę pojąć za żonę.

— Po pierwsze nie wiadomo, czy ona zechce, żebyś ty był jej mężem. A po drugie, czy ty wiesz, jaka ona jest?

I wtedy opowiedzieli mu całą prawdę o niej.

Królewicz bardzo się zmartwił tym wszystkim, co usłyszał. Myślał, jak pomóc królewnie. Po jakimś czasie przyszedł do rodziców i oświadczył:

— Chciałbym pojechać do pałacu królewny.

Popatrzyli na niego nic nie rozumiejąc. Po chwili spytał ojciec:

— Możesz nam powiedzieć, po co?

— Chcę, by się zmieniła. Spróbuję jej w tym pomóc.

— Jak to sobie wyobrażasz?

— Dokładnie jeszcze nie wiem, jak to zrobię, ale spróbuję.

Przedstawił im swój plan:

— Pojadę tam w przebraniu i zgłoszę się do pracy jako ogrodnik, bo ona podobno często przebywa w ogrodzie. To wszystko. Co dalej, nie wiem. Okaże się na miejscu. Może życie podsunie inne rozwiązanie.

Rodzice z ciężkim sercem zgodzili się na jego propozycję, ale nie wierzyli, żeby ta wyprawa mogła zakończyć się powodzeniem.

Królewicz, tak jak to wszystko przedstawił rodzicom, tak i wykonał. Przebrał się w ubogie szaty robotnika i udał się w daleką drogę. Wśród rzeczy, które wziął ze sobą, był jego ukochany kwiat. Nie rozstawał się z nim nigdy. I w tej drodze, choć nie było mu to wygodne, chciał mieć go przy sobie.

Gdy przybył do pałacu królewny, przyszedł do ogrodu. Ogród był wielki, bogaty w drzewa, krzewy, warzywa, kwiaty, położony w pagórkowatym terenie, obejmował sadzawki, stawy, rzekę. Królewicz odnalazł ogrodnika i zwrócił się do niego z prośbą, aby ten przyjął go do pomocy. Ogrodnik był stary i nieżyczliwy. Popatrzył na królewicza krytycznie, wysłuchał prośby, mruknął:

— My nie potrzebujemy nowych pomocników. Mamy dość swoich.

Królewicz nie ustępował. Powiedział:

— Faktycznie niewiele umiem, ale chcę się nauczyć tego rzemiosła. Dlatego nie chcę żadnego wynagrodzenia. Jeżeli mi tylko dasz kąt do mieszkania i jedzenie, to mi wystarczy.

Ogrodnik obrzucił go niechętnym wzrokiem, ale w końcu przystał na prośbę.

— No to dobrze — powiedział z ociąganiem się — ale wiedz o tym, że praca tutaj jest bardzo ciężka.

Przeznaczył mu na mieszkanie stary składzik i królewicz rozpoczął pracę w ogrodzie.

Płynęły dni. Królewna przychodziła codziennie do ogrodu. Widział ją czasem. Jej jasna sukienka pojawiała się w dali na tle ciemnej zieleni, by znowu zniknąć. Bywało, że widział ją dłuższą chwilę, ale zawsze z daleka. Zaledwie parę razy zdarzyło się, że była tak blisko, iż słyszał jej głos. Ale wciąż nie spotkał się z nią.

Aż po jakimś czasie, gdy razu pewnego pracował zgięty, plewiąc grzędę, usłyszał nagle tuż nad swoją głową jej głos. W pierwszej chwili myślał, że ona coś do niego mówi, tymczasem królewna poprawiając rosnący kwiat, zaczęła do niego przemawiać i to najpiękniejszymi słowami, jakie kiedykolwiek słyszał królewicz. Nagle przerwała. Poczuł, że go ujrzała. Z gniewem wykrzyknęła:

— Ktoś ty za jeden? Co ty tu robisz?

Podniósł się. Pokłonił. Bał się, czy go nie rozpozna, ale nie doszło do tego. Odpowiedział więc spokojnie na postawione pytanie:

— Jestem pomocnikiem ogrodnika.

— Nie znam cię. Jeszcze cię nigdy tutaj nie widziałam.

— Pracuję od niedawna — wyjaśnił.

Widział, jak była wściekła. Najwyraźniej dlatego, że ją słyszał rozmawiającą z kwiatami. Nagle rzuciła wzrokiem na kępę opodal rosnących pokrzyw:

— Zerwij mi je — rozkazała.

— Zaraz przyniosę rękawice i nożyce — powiedział i skierował się w stronę swojego mieszkania.

— Nie potrzeba ci rękawic — odparła szorstko. — Zrywaj natychmiast, gołymi rękami.

Królewicz zawahał się. Ale to trwało tylko moment. Podszedł do kępy pokrzyw i zaczął je zrywać. Pokrzywy były wyrośnięte, o twardych łodygach. Ręce paliły go, jakby je wsadził do wrzącej wody. Ale rwał uparcie. Gdy narwał całą naręcz pokrzyw, spytał:

— Wystarczy?

— Wystarczy.

— Co mam z nimi zrobić?

— Możesz je wyrzucić — odpowiedziała i odeszła.

Pobiegł do swojego domku i długo moczył dłonie w zimnej wodzie, żeby przynieść sobie ulgę. Ale na niewiele to się przydało. W nocy prawie nie spał.

Na drugi dzień królewna przyszła znowu. Tym razem ona go szukała. Znalazła, gdy był zajęty przy plewieniu swojej grządki. Kazała mu pokazać ręce. Wciąż jeszcze były całe w bąblach.

— Pieką cię?

— Trochę.

— To żeby cię tak nie piekły — powiedziała złośliwie — idź i narwij mi lilii wodnych.

— Dobrze, tylko przyprowadzę łódź i zaraz wrócę.

— Nie potrzeba łódki. Wejdź do stawu.

Był chłodny i pochmurny dzień. Woda była zimna. Lilie miały silne łodygi, ciągnące się bez końca. Nie bardzo umiał sobie z nimi poradzić. Zanim narwał pełną naręcz, upłynęło trochę czasu. Wreszcie wyszedł ze stawu cały mokry i przemarznięty.

— Co mam z nimi zrobić? — spytał.

— Możesz je wyrzucić na śmietnik — powiedziała i odeszła.

Pobiegł do swojego domku, bo drżał z zimna. Przebrał się w suche ubranie. Ale pod wieczór źle się poczuł. Pojawił się kaszel. W nocy nie mógł spać. Czuł rosnącą gorączkę.

Następnego dnia nie poszedł do pracy. Został w swoim pokoju w łóżku.

Tymczasem królewna przyszła znowu do ogrodu, ale nigdzie nie mogła znaleźć królewicza. Spytała o niego ogrodnika:

— Gdzie jest ten nowy twój pomocnik?

— Leży przeziębiony w swoim pokoju — odpowiedział ogrodnik.

— Gdzie to jest?

Ogrodnik zaprowadził ją tam. Zobaczyła go leżącego w łóżku z rozpaloną głową.

— Co to ma znaczyć to wylegiwanie się w łóżku?

— Przeziębiłem się i mam gorączkę.

Zaczęła krzyczeć na niego, że przez byle jakie przeziębienie nie przychodzi do pracy. Nagle ujrzała kwiat stojący w donicy na stole. Miał niezwykle pięknie powycinane liście, które otaczały stulony, duży pąk kwiatu.

— Co to za kwiat? — spytała.

— Przyniosłem go ze swojego domu.

— Ja wszystkie kwiaty znam, ale takiego jeszcze nigdy nie widziałam.

— To jest kwiat, który rozkwita w nocy, ale tylko przy człowieku, który jest dobry.

— Co ty za bzdury opowiadasz! — wykrzyknęła. — Masz chyba wysoką gorączkę.

— Nie. Mówię prawdę. To jest taki cudowny kwiat, który kwitnie tylko przy dobrym człowieku — powtórzył.

— Jeżeli nie masz gorączki, to znaczy, że jesteś głupi, wierząc w takie rzeczy. Takiego kwiatu nigdzie nie ma na świecie.

— Otrzymałem go od pustelnika, który przez parę lat pomagał rodzicom moim w wychowaniu mnie. Kiedy pustelnik odchodził od nas, przyniósł mi ten kwiat i powiedział:

— To jest taki tajemniczy kwiat, który kwitnie nocą. Ale kwitnie tylko przy człowieku, który jest dobry. Jeżeli wieczorem będziesz przy nim, a on rozkwitnie, to znaczy, że w ciągu ubiegłego dnia byłeś dobry, a jeżeli nie rozkwitnie, to znaczy, że byłeś zły.

Namyślała się, co odpowiedzieć. Po chwili zadecydowała:

— Dobrze. Sama się o tym przekonam. Biorę go.

Nie pytając o pozwolenie porwała kwiat i poszła do pałacu. Zaniosła do swojego pokoju, postawiła na stole. Była bardzo ciekawa, ile w tym prawdy, co ten chłopiec mówił. Nie mogła się doczekać wieczoru. Gdy wreszcie słońce zaszło, zrobiło się ciemno, zapadła noc, królewna usiadła przy kwiecie i patrzyła w jego pąk. Nadeszła północ, zegar powoli wybił dwanaście uderzeń, ale stulony kwiat nawet nie drgnął. I wtedy zrozumiała, że chłopiec zakpił z niej. Ze złości, że dała się oszukać prostemu chłopcu, ze złości, że on, prosty chłopiec, śmiał oszukać ją, królewnę, nie spała całą noc. Skoro świt pobiegła do młodego ogrodnika i zrobiła mu straszną awanturę.

— Jak śmiałeś tak zakpić ze mnie?

— Naprawdę nie miałem takiego zamiaru. To, co powiedziałem, jest prawdą.

— Milcz. Nie chcę cię wcale słuchać. Ale pamiętaj, nie życzę sobie, żebyś tutaj dalej przebywał. Wynoś się stąd i z mojego ogrodu. Nie chcę, żebyś tu pracował.

— Dobrze. Mogę stąd odejść, jak tylko wyzdrowieję, ale pozwól sobie powiedzieć, że wszystko to, co mówiłem, nie jest kpiną. To prawda.

— A czy tobie chociaż raz ten kwiat się otworzył? — spytała.

— Tak — powiedział. — I to niejeden raz.

— A mnie się nie otworzył.

— Dziwisz się?

To ją doprowadziło do pasji. Nie umiała nic na to odpowiedzieć. Wściekła wybiegła z jego mieszkania. Ale gdy tak podenerwowana wracała do pałacu, zrodził się w niej pewien pomysł:

— Dobrze — powiedziała sobie. — Zobaczymy. Dzisiaj będę idealna. Przekonam się, czy on mówi prawdę, czy też jest kłamcą.

I tak się stało. Od samego rana, gdy tylko wróciła do swojego pokoju, była bardzo dobra dla wszystkich. Najpierw dla dziewcząt, które pomagały jej się zawsze ubierać, potem dla rodziców przy śniadaniu, dla nauczycieli przed południem. W całym pałacu rozeszła się natychmiast wieść, że z królewną coś się stało. Nie krzyczy, nie awanturuje się, nie rzuca talerzami, nie wyzywa, nie wyrzuca za drzwi. Albo jest chora, albo planuje jakąś większą awanturę. Wszyscy czekali w największym napięciu, do czego dojdzie. Przy obiedzie obsługujący spodziewali się co chwila, że albo wsadzi im wazę z zupą na głowę, albo ściągnie obrus. Ale ona zachowywała się wzorowo. Po południu odrobiła solidnie zadane lekcje. Dla gości, którzy przyszli z wizytą, była bardzo uprzejma, odgadywała ich życzenia, oprowadzała, objaśniała, tłumaczyła, zabawiała, jak umiała najmilej. Tylko nikt nie wiedział o jej sekrecie. A ona z największym napięciem czekała na nadejście wieczoru. Ledwo słońce zaszło, królewna wymknęła się od gości, udała się do swojego pokoju, nie zapalała światła, żeby jej nikt tam nie odnalazł. Usiadła przy kwiecie i patrzyła w oczekiwaniu na jego pąk. W pokoju zrobiło się mroczno, potem ciemno. Nawet się nie spostrzegła, jak zasnęła. Była zmęczona całym dniem. Obudził ją głos zegara, bijącego godzinę dwunastą. Podniosła głowę opartą o ręce i ujrzała, że stulone płatki kwiatu drgnęły, zaczęły się rozchylać i nagle ukazał się przepiękny kwiat, jakiego nigdy w życiu swoim nie widziała. I gdy tak patrzyła w niego zauroczona, posłyszała delikatną, cudowną muzykę. Kwiat śpiewał. Równocześnie z kwiatu poczęła promieniować jakby poświata słoneczna, którą napełnił się cały pokój. Królewnie zdawało się, że umrze ze szczęścia. Serce waliło jej tak mocno, jakby miało rozerwać jej pierś. Była szczęśliwa jak nigdy w życiu. Porwała się z krzesła i poczęła biec przez komnaty, korytarze, schody, aby powiedzieć ogrodnikowi, że to prawda, że kwiat kwitnie, że kwiat jej się otworzył.

*
* *

Każdy z nas ma taki kwiat w duszy. I ty też. Kwiat twojego sumienia. Jeżeli wieczorem w twojej duszy jest ciemno, smutno i zimno, to znaczy, że twój dzień, który przeszedł, nie był dobry. A jeżeli wieczorem jesteś szczęśliwy, twoja dusza napełniona jest szczęściem, światłem, muzyką, to znaczy, że twój dzień był dobry.

O SZEJKU I O ŚMIERCI

Był pewien bardzo mądry Szejk, którego mądrość była znana szeroko na świecie. Najwięksi z największych przychodzili do niego, prosili o rozmowę i przedstawiali mu swoje sprawy. On wysłuchiwał ich ze spuszczonymi oczami, starał się ich dokładnie zrozumieć, potem chwilę milczał i udzielał odpowiedzi. Mówiono na Wschodzie, że takich trafnych odpowiedzi nikt z żyjących nigdy nie potrafił dawać, jakie on dawał. Każdy, kto przychodził do niego z prośbą o pomoc, wedle tego, jak ważna dla niego była ta pomoc i wedle tego, na ile go było stać, przynosił rozmaite dary. Tak więc Szejk żył bardzo dostatnio i szczęśliwie. Cieszył się swoją mądrością. Ludzie cieszyli się, że mają takiego mądrego człowieka pomiędzy sobą. Ale Szejk żył samotnie, zamknięty w swojej wieży mądrości. Nie miał ludzi mu bliskich. Nie znalazł nikogo godnego, kogo mógłby nazwać swoim przyjacielem. Chociaż otaczających go ludzi nie traktował z pogardą, to jednak nie więcej niż z dobrotliwym współczuciem.

Lata płynęły. Znaczyły się również i na tym, który zdawał się być nieśmiertelny. W miarę upływu lat głowa Szejka i cała broda stały się zupełnie siwe. Ale mądrości nie ubywało. Wprost przeciwnie. Ludzie mówili, że Szejk jest jeszcze mądrzejszy niż dawniej.

Aż dnia jednego, gdy wszystkich wysłuchał i wszystkim udzielił rady, gdy słońce już zaszło i zmrok zapadł, nagle odchyliło się płótno jego namiotu i wszedł jeszcze ktoś. Nie zapowiedziany nawet przez sługi. Szejk podniósł oczy. W namiocie stał jakiś człowiek w nieokreślonym wieku, z zasłoniętą twarzą. Przybysz odezwał się:

— Jestem anioł śmierci. Wysłał mnie Bóg, żebym ci powiedział, że jutro przyjdę po ciebie.

Szejk nie odpowiedział. Spuścił głowę. Nie zobaczył jego wyjścia. Tylko usłyszał, jak trzasnęło skrzydło namiotu. Został sam. Siedział. Myślał. A był bardzo mądry i na każdą trudność zawsze umiał znaleźć radę. Nagle wstał, wyszedł przed namiot. Spytał swoje sługi:

— Kto był ten człowiek, który mnie teraz odwiedził?

— Nikt teraz nie wchodził do twego namiotu, Panie.

— Przed chwilką rozmawiałem z człowiekiem, który powiedział, że jest aniołem śmierci.

— Nikogo nie widzieliśmy, żeby przychodził do ciebie. Nie słyszeliśmy żadnej rozmowy w twoim namiocie.

— Czy chcecie powiedzieć, że zdawało mi się.

— Przemęczony jesteś, Panie, zbyt wielu ludzi przyjmujesz.

Nie uwierzył im. Wprost przeciwnie, wypowiedzi sług upewniły go, że u niego był naprawdę anioł śmierci. Polecił osiodłać najszybszego wielbłąda, jakiego tylko miał w swoim stadzie. Wsiadł na niego i popędził.

Pędził całą noc. Pierwsze parę godzin jazdy zniósł dobrze, ale potem ogarniało go coraz większe zmęczenie, dokuczało mu serce, z trudem chwytał powietrze, bolały go wszystkie kości. Pocieszał się: — To są skutki, że wciąż siedzę. Za mało jeżdżę na wielbłądzie. — Ostatni odcinek drogi był już dla niego jedną męką. Z najwyższym tylko wysiłkiem utrzymywał się na siodle. Chwilami chyba tracił przytomność. Ale i wielbłąd galopował resztką sił. Nad ranem dopadł sobie tylko znanej maleńkiej oazy rzuconej w pustyni. Zsunął się z wielbłąda i upadł na ziemię wyczerpany. Po chwili się pozbierał: wstał z ogromnym trudem. Był okropnie zmęczony. Ale był równocześnie szczęśliwy. Myślał sobie z satysfakcją: — A teraz, tak jak było powiedziane, przyjdzie anioł śmierci do mojego namiotu i nie zastanie mnie tam. — I uśmiechając się pod wąsem szedł na trzęsących się nogach obok swojego wielbłąda do wodopoju, żeby jego napoić i żeby sam mógł się napić czystej, zimnej wody. Gdy już był całkiem blisko, naraz zobaczył, że ktoś samotny siedzi przy źródle. Nie spodziewał się tutaj nikogo. Wolałby się z nikim nie spotkać. Ale w ostatnim momencie poczuł jakiś przypływ wzruszenia i ochotę, żeby z kimś podzielić się swoimi przeżyciami ostatniej nocy, żeby komuś opowiedzieć o swoim sukcesie. Postąpił następne kilka kroków. Ten ktoś siedzący przy źródle wstał i wtedy Szejk poznał, że to jest anioł śmierci.

Anioł powiedział:

— Gdy mi Bóg rozkazał przyjść po ciebie do tej dalekiej oazy, zdziwiłem się bardzo, myśląc, jak ty, taki stary człowiek, potrafisz przebyć taką daleką drogę w ciągu jednej nocy.

CZARNY RYCERZ

Przed wielu, wielu laty na zamku Kynast mieszkała piękna księżniczka ze swymi rodzicami. Dziwna to była dziewczyna. Rzadko widywano ją w niewieścich szatach. Najchętniej wkładała na siebie strój myśliwski, dosiadała konia i otoczona zgrają psów wyruszała na polowanie. Towarzyszyli jej bracia i rycerze. Rycerze ściągali na zamek z całego świata, bo księżniczka była bardzo ładna. Zostawali w gościnie u księcia, brali udział w myśliwskich wyprawach, walczyli na turniejach, jedli, pili, śpiewali i wodzili zakochanymi oczami za piękną księżniczką. Na koniec przychodzili do starego księcia, by prosić go o rękę jego córki. On stary już był i wraz z żoną o niczym bardziej nie marzył jak o tym, by ich córka wreszcie kogoś pojęła za męża. Ale zawsze to samo mówił:

— My się z serca zgadzamy, ale nie wiemy, czy ona się na to zgodzi.

A gdy księżniczkę proszono o zgodę, odpowiadała niezmiennie:

— Dobrze, będę twoją żoną, ale stawiam jeden warunek: ten, kto chce być moim mężem, musi w pełnej zbroi, na bojowym koniu objechać mury obronne zamku po ich szczycie. Bo — jak dodawała — mój mąż musi być bardzo dzielny.

A mury były bardzo niebezpieczne z powodu jednego jedynego miejsca, gdzie załamywały się pod kątem prostym. Nie mogły biec inaczej, ponieważ skała, na której stał zamek, w tym miejscu była przecięta jakby toporem, stąd i mury musiały cofnąć się w głąb. W tym miejscu koń z jeźdźcem nie był w stanie zakręcić, by iść dalej, ale tracił równowagę i wpadał wprost w przepaść. A księżniczka spokojnie patrzyła ze swojego okna, które właśnie wychodziło na ten załom murów, jak kolejny kandydat na jej męża ginął wraz ze swoim koniem.

Tak upłynęło parę lat. I wciąż nie zdarzyło się, aby któryś z rycerzy proszących o jej rękę usłyszał inny warunek niż ten. I wciąż byli tacy, którzy słysząc to żądanie odchodzili z żalem, ale też zdarzali się śmiałkowie, którzy próbowali sforsować niebezpieczny załom murów i przypłacali ten czyn śmiercią. A księżniczka wciąż urządzała huczne zabawy, polowania, śpiewała, tańczyła, grała i śmiała się z tych, którzy nie potrafili zdobyć jej ręki.

Aż razu pewnego przyjechał na zamek nieznany rycerz. Ktoś go nazwał czarnym rycerzem, bo nosił czarny ubiór. Książę wydał na jego cześć wielką ucztę, na którą zaprosił również i księżniczkę. Przyszła jak zwykle niechętnie. Nie takie uczty lubiła. Zajęła swoje miejsce, po lewej stronie przybysza, nawet nie obdarzając go spojrzeniem. Była cała pogrążona w swoich myślach, gdy nagle usłyszała piękny głos gościa, który się do niej zwracał. Podniosła oczy i zamarła z wrażenia. Takiego człowieka nigdy jeszcze dotąd nie widziała. Natychmiast opuściła powieki, by nie dać poznać po sobie zmieszania, jakie ją opanowało. Nawet trudno było jej zrozumieć, co na niej takie wrażenie uczyniło. Czy mądre oczy, czy dobry uśmiech, czy spokój, który promieniował z całej postaci. Ale wiedziała jedno: „To jest ten". Mówiła sobie w głębi duszy: „Na ciebie czekałam. Z tobą mogłabym iść na koniec świata. Dla ciebie mogę zrobić wszystko, co zechcesz". — Pozostawał tylko cień niepokoju, czy on ją pragnie mieć za żonę.

Przy stole toczyły się głośne rozmowy, od czasu do czasu wybuchały śmiechy. Z drugiego końca sali dobiegała muzyka, żartownisie popisywali się swoimi sztuczkami, a ona tak trwała jak urzeczona. Nawet nie bardzo wiedziała, o czym rozmawia ze swoim sąsiadem. Oczy miała spuszczone. Czasem tylko odważała się spojrzeć na swojego towarzysza, i to zaledwie na chwilkę, bo bała się, by nie stracić zupełnie przytomności ze szczęścia, jakie ją przepełniało. Cała wieczerza była dla niej najpiękniejszym snem, w który wciąż nie śmiała wierzyć. Niestety, zbliżał się koniec tej radości. Służba porządkowała stoły. Ucichła muzyka. Trzeba było wstawać. Odchodziła z ciężkim sercem, w obawie, że to najcudowniejsze, które przeżyła, może się już nie powtórzyć. Poszła do swojej komnaty i wtedy, gdy na wpół przytomna zdejmowała uroczyste odzienie, wszedł ojciec. Jego pogodne oblicze powiedziało jej wszystko. Zrozumiała, że ojciec musiał obserwować ją w czasie uczty, wyczuł, co się w niej dzieje, a teraz przynosi jej ważne wiadomości. Ale czekała na słowa. Zamarła. Serce zaczęło jej bić jak oszalałe.

— Czy wiesz, z jaką sprawą przyjechał ten rycerz? — zapytał ojciec.

Poczuła, że cała krew spłynęła jej z twarzy, że ledwo stoi na nogach, że jeszcze chwila a upadnie. Z trudem zdołała wyjąkać pytanie:

— Z jaką?

Myślała, że nigdy nie doczeka się odpowiedzi. Aż wreszcie doszło do niej:

— Przybył, aby objechać na koniu nasze mury.

W pierwszej chwili zdawało się jej, że umiera ze szczęścia. Wsparła się ciężko o ścianę. A potem przyszła na nią fala takiej radości, iż myślała, że oszaleje. Rzuciła się ojcu na szyję. Całowała go i ściskała:

— On będzie moim mężem! On będzie moim mężem! — powtarzała bez przerwy.

Gdy ojciec wreszcie wyrwał się z jej uścisków, cały rozpromieniony — choć udawał oburzenie, że córka jest taka nieopanowana — powiedział:

— Ja tego nie mówiłem. On oświadczył tylko, że chce objechać nasze mury.

— Ale to znaczy to samo! Ale to znaczy to samo! — śpiewała tańcząc wokół niego.

Była pewna. Nagle przerwała taniec. Uśmiech zgasł na jej twarzy. Uświadomiła sobie, jakie zagrożenie wisi nad jej szczęściem. Rzuciła się powtórnie ojcu na szyję mówiąc:

— A teraz idź, idź do niego i wytłumacz mu, że on nie potrzebuje wcale objeżdżać murów, że niech tego nie robi, że niech się nie waży, bo zginie, a on nie może zginąć. Idź, powiedz mu, że ja się zgadzam bez tego warunku. Mogę dzisiaj, albo jutro, albo kiedykolwiek on tylko zechce, być jego żoną.

Stary książę zaczął tłumaczyć:

— Jak ja mogę mu to powiedzieć...

— Idź, idź. Musisz iść. Bo jak nie, to ja pójdę, rzucę mu się do stóp, żeby go błagać, by tego nie robił.

Ojciec odszedł, a ona czekała na niego aż do północy. Zdawało się jej, że się nigdy nie doczeka powrotu ojca, że to czekanie trwa już całe wieki, że godziny się wloką w nieskończoność, że zegar zepsuł się i dlatego nie bije. Wreszcie, gdy książę wszedł, zobaczyła, że nic nie zdołał uzyskać.

— Nic nie pomogło — powiedział zatroskany. — Rycerz ślubował, że objedzie mury na koniu i od tego ślubu nie odstąpi.

Po chwili milczenia dodał:

— Dałem mu do zrozumienia, że ty od niego nie żądasz spełnienia tego warunku. Tak jak tego chciałaś. Powiedziałem, jak można było najwyraźniej. Ale on się na to nie zgodził i gdybyś nawet ty poszła, to i tak nic nie uzyskasz. Jutro skoro świt wyjeżdża na mury.

Myślała, że umrze z rozpaczy. Była zupełnie bezradna. Klęczała całą noc. Klęczała i modliła się. Aby nie spadł, aby objechał mury szczęśliwie. Aby pierwszy raz stał się ten cud.

Wreszcie świt zaczął bielić ściany komnaty. Czas próby nadszedł. Usłyszała fanfary oznajmujące wejście rycerza z koniem na mury. Nie wstała z klęczek. Nie podeszła do okna. Nie chciała nic widzieć. Zamknęła oczy, splotła ręce aż do bólu i czekała. Na cud.

W ciszy usłyszała dalekie stąpanie konia. Stuk narastał. Był coraz bliższy. Zdawało się jej, że wypełnia jej całą głowę. To powinno być już, tuż, zaraz, za moment, w tej chwili. Teraz. Kopyta przestały dźwięczeć. Na pewno stanął teraz nad załamaniem muru. Cała napięta do granic możliwości czekała na huk spadającego po murach rycerza i kwik konia. Chwila ciągnęła się w nieskończoność. Nagle usłyszała stuk kopyt końskich idący dalej po murze A więc udało się. Pierwszy raz. Cud się stał. Krzyknęła jak oszalała. Wybiegła z komnaty, pędziła przez korytarze, zbiegała po schodach, przebiegała wąskie krużganki, przejścia, rycerzowi naprzeciw, aby go przywitać, rzucić mu się na szyję, jemu — najpiękniejszemu, najmądrzejszemu, najdzielniejszemu, jedynemu. Cała zdyszana wypadła z bramy właśnie wtedy, gdy on zjeżdżał z murów w tłum ludzi na niego czekający. Patrzyła jak urzeczona na czapki lecące w górę. Dobiegł do niej huk wystrzałów na wiwat, krzyki, śmiechy, pieśni. Czekała. Aż podjedzie pod schody, zejdzie z konia i poprosi o jej rękę. Patrzyła, jak lekko nachylony, poklepując kark konia, jedzie przez zgromadzone tłumy, gdy nagle spostrzegła z niepokojem, że on zamiast w jej stronę coraz wyraźniej kieruje konia w stronę bramy wyjazdowej. Najpierw dalekie przeczucie, potem niepokój, potem strach, na koniec już pewność — to było wtedy, gdy on zdjął z głowy kołpak, ukłonił się w jej kierunku, podciął konia i zaczął wyjeżdżać z zamku. Taki jej obraz został w oczach w ostatnim momencie, gdy osunęła się zemdlona na ziemię.

Potem była ciężko chora. Miała wysoką gorączkę. Zrywała się. Chciała gdzieś iść. Wołała nieprzytomna rycerza, by zawrócił, by nie odchodził. Wszystkim zdawało się, że umrze. Żadne lekarstwa nie skutkowały. Ale w końcu jej silny organizm przetrzymał napór choroby. Powoli wracała do zdrowia. Była bardzo słaba. Zgodnie z zaleceniami lekarzy pozostawała sama w ciszy. Dużo myślała o ostatnim wydarzeniu i o tajemniczym rycerzu. — „Dlaczego tak zrobiłeś? Dlaczego? — pytała go w myślach. — Czy ty wiesz o tym, że ja cię kocham? I nigdy cię kochać nie przestanę. Tylko czy cię jeszcze kiedyś zobaczę?"

Postanowiła go znaleźć. Wiedziała, że nie potrafi żyć bez niego. Gdy przychodziły na nią chwile refleksji, zapytywała sama siebie: „Co ja mu powiem, gdy go znajdę?" Ale w gruncie rzeczy to nie było ważne. Najważniejsze było: jak go znaleźć. Zapytała ojca o niego. Okazało się, że ojciec nic o nim nie wie. Nie znała go też matka ani rycerze na zamku.

— No to dlaczego go przyjąłeś? — zapytywała ze zdumieniem ojca. — Dlaczego wyprawiłeś dla niego takie przyjęcie?

— Po prostu zdawało mi się, że to jest ktoś bardzo znaczny.

— Dobrze — odpowiadała — ale że ty go nie zapytałeś o imię i o dom rodzinny.

Przyszedł dzień, kiedy zaczęła chodzić po komnacie. Potem pierwszy spacer na świeżym powietrzu, wreszcie zdobyła się na to, by dosiąść konia. Aż gdy uznała, że jest w pełni sprawna, spakowała najpotrzebniejsze rzeczy, wzięła ze sobą parę sług, pożegnała rodziców i braci, i w przebraniu męskim wyruszyła w drogę.

Odwiedzała wspaniałe zamki. Jeździła po wielkich turniejach, gdzie potykali się na kopie najdzielniejsi rycerze, wypatrywała go pomiędzy najodważniejszymi. Uczestniczyła w największych uroczystościach, jakie obchodziły miasta, zamki i pałace — nie było go nigdzie. Czasami zdawało się jej, że to wszystko było snem, że to nieprawda, że takiego człowieka nigdy nie spotkała, że go po prostu w ogóle nie ma. Powoli traciła nadzieję, by go mogła jeszcze kiedykolwiek zobaczyć. Po raz pierwszy w życiu nie osiągnęła tego, co zamierzała, czego tak bardzo pragnęła. Wreszcie zrezygnowała. Odesłała służbę. Chciała być sama. Nie wiedziała właściwie, co ma dalej robić. Trzeba było wracać do domu. Ale po co? Bawić się,. tańczyć, śpiewać, polować? Myślała o tym wszystkim z obrzydzeniem. Życie dla niej straciło sens. Czasem była wściekła na siebie, że dała się ogarnąć tej miłości, ale czy mogła coś na to poradzić?

Zdarzyło się razu pewnego, w któryś dzień samotnej jazdy — powracania do domu — że zbłądziła. Wieczór zapadał szybko, w lesie było coraz bardziej mroczno, a tymczasem wciąż nie było osady, do której zdążała, gdzie miała przenocować. Nie bała się. Tylko była po prostu zmęczona. Początkowo chciała przespać się gdzieś w lesie, ale zaczął padać deszcz coraz gęściejszy, na dodatek stało się nieszczęście: w ciemności koń wpadł w jakiś wykrot i okulał. Musiała z niego zsiąść. Trzymała go za uzdę i powoli brnęła przez wodę i błoto. Powieki jej się same zamykały. Przylepiona do konia stawiała nogi po omacku. Godziny się wlokły — nie było końca ani lasu, ani deszczu, ani nocy. Już tylko marzyła, aby choć na moment położyć się i zasnąć. Nagle koń stanął, zarżał. Oprzytomniała, chwyciła za miecz. Poczuła, że wyszli z lasu i znajdują się na wolnej przestrzeni. Rozglądając się dojrzała dalekie światełko. To było chyba światło padające z okna domu. Podeszła bliżej. Ujrzała ciemny zarys wielkiego domostwa. Zostawiła konia pod dachem i weszła do wnętrza. W izbie panował półmrok, tylko na kominku palił się nikły płomień. Obok siedział stary, siwy człowiek. Błyski ognia oświetlały jego postać.

— Kto ty jesteś? — usłyszała pytanie.

— Zbłądziłem w lesie. Koń mi okulał.

— Skąd jesteś?

Nie chciała tego ujawnić. Bała się, żeby nie wyszło na jaw, że jest dziewczyną. Wyminęła to pytanie. Wiedziała jednak, że musi zdobyć zaufanie. Zaczęła więc podawać nazwy zamków, kaszteli, dworów zamieszkałych przez zaprzyjaźnione z jej familią rody. Wymieniła imiona znanych w całym kraju ludzi. Opowiadała o spotkaniach z nimi, wciąż jednak pilnie bacząc, by nie zdradzić swojego pochodzenia. Czuła, że to wszystko przełamuje początkowy chłód starego człowieka. Wreszcie usłyszała to, czego oczekiwała:

— Możesz tu zostać na noc. Ja jeszcze posiedzę przy żonie. Rozgość się w tamtej izbie. — Wskazał jej ręką kierunek. — Moja żona jest chora — dorzucił.

Zobaczyła w głębi łóżko, na nim leżącą kobietę.

Następnego dnia już nie padało, ale jechać nie mogła. Koń miał nogę zranioną. Trzeba było leczyć i odczekać parę dni. Rozglądnęła się po obejściu. Dom był w dobrym stanie, ale bardzo zaniedbany. Stajnie i stodoły były spalone. „Od pioruna" — jak powiedział gospodarz. Bydło się częściowo spaliło, częściowo rozbiegło. Służba poodchodziła.

Nie pytała o nic więcej. Stwierdziła tylko, że tych dwoje ludzi żyje bardzo biednie, prawie głodują. Denerwował ją trochę smutek starego człowieka, jakaś bezradność, bezwolność. Wieczorami i nocami zostawał długo przy kominku i patrzył w ogień, w ciągu dnia siadywał przed domem i patrzył na drogę, jakby kogoś wypatrywał.

Któregoś wieczoru, grzejąc się przy kominku, chciała przerwać ciążące jej milczenie. Nic nie przychodziło jej do głowy. Wreszcie zaryzykowała opowieść o własnym życiu, uważając przy tym, by nie domyślili się, że to o nią chodzi:

— Była sobie raz księżniczka, która rycerzom starającym się o jej rękę stawiała żądanie, by objechali dookoła zamku po szczycie murów obronnych.

Nie zauważyła, że starzec drgnął. Zatopiona we własnych myślach snuła dalej swoją opowieść. Nagle z zamyślenia wyrwało ją pytanie powiedziane ostrym tonem:

— Skąd to wszystko wiesz?

— Ktoś mi opowiedział — odparła wymijająco.

— Jednym z tych, którzy spadli z murów i zginęli, był mój syn.

Umilkła jak rażona. Zapanowała cisza. Myślała gorączkowo. Teraz dopiero zrozumiała apatię tego człowieka. Ta śmierć była chyba również powodem choroby jego żony.

— Jak on wyglądał? — zapytała po chwili.

— Czemu o to pytasz? Byłeś tam?

— Tak.

Zaczął jej opisywać. Przypomniała sobie tego rycerza. To był bardzo ubogi chłopiec. Nie znała go wcześniej. Pojawił się niespodziewanie na zamku. Pamiętała dobrze biedny strój, który nosił. Pamiętała docinki, wyśmiewanie się innych rycerzy.

— A ty nie objeżdżałeś murów? — usłyszała pytanie.

— Nie. Bo ja nie kochałem tej księżniczki — odpowiedziała.

— Bóg cię ustrzegł od tej okrutnej dziewczyny. Jak ona może żyć, mając na sumieniu tyle śmierci. Jak jej Bóg nie pokarał.

Zamilkli oboje. Siedziała długo w noc przed kominkiem i myślała o całym swoim dotychczasowym życiu. Dopiero teraz ujrzała krzywdę, jaką wyrządziła swoją lekkomyślnością. Dojrzewało w niej postanowienie: „Tu, w tym domu, trzeba zostać. Wnieść do niego życie. Zastąpić tym ludziom syna. To będzie pokuta, którą muszę Bogu złożyć".

Zabrała się do pracy. Niełatwo to jej szło. Na szczęście był stary rycerz, który wszystko umiał, a teraz widząc jej zapał towarzyszył jej. Pracy było dużo, tym bardziej, że szła wiosna. Trzeba było orać, grabić, siać. Przynajmniej tyle, aby starczyło na wyżywienie tych biednych ludzi. Harowała od świtu do nocy. Na roli, przy kamieniarstwie, przy ciesielce, bo trzeba było przecież dachy położyć na spalone stodoły i stajnie. Wieczorem, gdy prawie rąk i nóg nie czuła, siadywała w izbie przy kominku, grała na lutni i śpiewała rycerskie piosenki, których tyle umiała. Opowiadała o turniejach i zabawach rycerskich. Snuła baśnie, legendy i przygody, które zasłyszała albo które sama przeżyła. Z odcieniem triumfu stwierdziła, że dom się zmienił. Nie tylko matka powróciła do zdrowia, nie tylko ojciec z całą energią pomagał jej i pracował z nią ręka w rękę, ale co najważniejsze, ci starzy ludzie zaczęli się uśmiechać.

Tak w trudzie i mozole płynęły dni, tygodnie i miesiące. Pracowała, jak umiała najlepiej. Była czuła dla tych obojga starych ludzi, jak tylko umiała najbardziej, jak tylko ją było na to stać. Zastępowała im syna, który przez nią zginął.

Nieraz zdarzyło się, że popłakała sobie z tęsknoty za swoim domem rodzinnym, za rodzicami, braćmi, towarzyszami — za zabawami, polowaniami. Patrzyła na swoje ręce spracowane od wideł i rydla, popękane, czarne od ziemi. Czy ktoś jeszcze potrafiłby w niej rozpoznać dawną, piękną księżniczkę? — „Co byś ty na to wszystko powiedział, gdybyś mnie tak teraz spotkał, mój ukochany rycerzu?" — myślała.

Kiedyś powiedziała staremu rycerzowi:

— Bóg pokarał tę okrutną księżniczkę.

— Jak? — spytał starzec.

Zaczęła opowiadać:

— Razu pewnego przyjechał na zamek rycerz. Powiedział, że chce objechać mury.

Zauważyła, że w miarę jak opowiadała, rosło zaciekawienie starego człowieka. Gdy doszła do pożegnalnego ukłonu, przerwał jej:

— Jak on się nazywał? Skąd pochodził?

— Nie wiem. Nikt nie wie.

— A jak wyglądał?

— W czarnym stroju, w czarnej zbroi.

— Ach, to „Czarny Rycerz" — zawołał z radością.

— Słyszałeś o nim? — spytała nie dowierzając.

— Oczywiście. Słyszałem o nim bardzo wiele. Nagle się pojawia, tak jak pojawił się na tamtym zamku, i niesie pomoc biedakom, sierotom, wdowom, pokrzywdzonym. Ale tu nigdy nie był. Widocznie są inni, którzy bardziej potrzebują pomocy niż my.

Słuchała tego jak najpiękniejszej bajki. Serce tłukło się jej nieprzytomnie. Powiedziała najspokojniej jak umiała:

— Jak myślisz, czy kiedyś przyjedzie?

— Kto to wie.

Mijały tygodnie. Starzy ludzie traktowali ją jak swojego syna, zżyli się z nią, zwłaszcza, że ich dom był pusty. Nikt tu nie przyjeżdżał w gościnę. Czasem kupcy, czasem posłańcy. Niewiele ją to obchodziło. Tym bardziej, że przyszła jesień — deszczowa, zimna, błotnista. Dni upływały w walce z rzeką, coraz bardziej wzbierającą i grożącą zalaniem pól.

Któregoś dnia wracała do domu straszliwie zmęczona. Ten dzień szczególnie dał się jej we znaki. W strugach deszczu wznosiła uparcie groblę z kamieni, utykała mchem, przemoczona od czubka głowy po same stopy. Była umazana błotem, nie czuła z zimna ani rąk, ani nóg. Szła obok konia prowadząc go za uzdę. Nie miała serca go dosiąść, bo był tak samo zmęczony jak i ona. Myślała, że się nie dowlecze do domu. Aż wreszcie w ciemnościach zamajaczyły znajome kontury. Wprowadziła konia do stajni, rozkulbaczyła go, odpinając zdrewniałymi palcami popręgi. Potem już nie było jej stać na to, by wejść do swojej zimnej izby i przebrać się. Chciała najpierw ogrzać się przy ogniu kominka i napić czegoś ciepłego. Pchnęła drzwi wejściowe. Oślepił ją blask ognia z kominka. Nagle zorientowała się, że jest ktoś obcy w izbie. Dobiegły ją słowa starego rycerza, z którymi zwracał się do gościa:

— Oto nasz dzielny wybawcą. Gdyby nie jego pomoc, umarlibyśmy z głodu i choroby.

Zaskoczyły ją te słowa i zmieszały. — „To o mnie" — pomyślała. Było jej strasznie przykro, że w takim stanie weszła do izby. Nie wiedziała, co zrobić. Patrzyła, jak rośnie przy jej stopach kałuża wody, która ścieka z jej zabłoconej odzieży. Postanowiła po prostu wyjść, przeprosić, podniosła oczy i wtedy wzrokiem przyzwyczajonym już do światła poznała go. To był on — „Czarny Rycerz". Jej najukochańszy, jedyny, wytęskniony, wymarzony w snach, którego jeszcze raz kiedyś w życiu pragnęła spotkać. Nie była w stanie oczu od niego oderwać, patrzyła jak urzeczona. On jej wciąż nie poznawał, jakżeby zresztą mógł ją poznać. Dwoje starych ludzi wciąż do niego coś mówiło, ale ona tego nie słyszała, nic do niej nie dochodziło, była wpatrzona w jego oczy, które na nią ciekawie spoglądały. Nagle wszystko zaczęło wirować jej przed oczami. Poczuła, że słabnie. Nie chciała zemdleć. Bała się, że wtedy się wyda, kim jest. Przylgnęła do ściany, wparła się nogami w podłogę. Powtarzała sobie: „Byle nie zemdleć". Ale i tak zaczęły jej łzy płynąć po policzkach, nogi słabnąć. Poczuła, że plecami ześlizguje się po chropowatej ścianie, kolana jej miękną i za moment runie na ziemię. Nagle ujrzała, jak jej rycerz zerwał się z ławy i w paru susach był przy niej. Uchwycił ją w ramiona, nachylił się nad jej twarzą i wtedy w jego oczach zobaczyła całe morze zdumienia, zaskoczenia i radości. Zemdlała.

NIE TAKI DIABEŁ STRASZNY, JAK GO MALUJĄ

Był człowiek, który zazdrościł aż do nienawiści bogactwa i powodzenia innym ludziom. Marzył tylko o jednym: o tym, żeby być bogatym, mieć wszystko. Tak jak sobie postanowił, tak to i realizował. Powoli dochodził do pieniędzy, ale zyskiwał je na drodze nieludzkiej. Cokolwiek robił, robił tylko pod tym warunkiem, jeżeli mu się to opłacało, inaczej nie podejmował żadnego kroku. Oszczędzał, zbierał, kombinował, zagarniał. Wszystko było w jego życiu interesowne. Notował skrupulatnie nawet najmniejsze należności, jakie ludzie byli mu winni. Żądał wynagrodzenia za wszystko. Wymagał, aby mu płacono od razu, natychmiast, albo zgadzał się na późniejszy termin, ale doliczał wysokie procenty. Jego zasadą było: „nic za darmo, wszystko za pieniądze", „dostaniesz, jak zapłacisz". To nie znaczy, żeby nie dawał prezentów. Dawał i to nieraz wielkie prezenty, jeżeli tylko wiedział, że człowiek, któremu daje, może mu się przydać, że będzie mu kiedyś potrzebny. Wielkość prezentu była zawsze mierzona wielkością przysługi, jakiej potrzebował. Dla swoich pracowników był bezlitosny, nie zezwalał na żaden odpoczynek, żądał od nich maksymalnego wysiłku. Nie przepuszczał najmniejszego nawet uchybienia. Karał surowo. Podwładni bali się go. Równocześnie dla tych, od których zależało jego powodzenie, którzy potrafili dla niego coś załatwić, był niesłychanie usłużny, uprzejmy aż do przesady, wciąż gotów spełniać wszystkie, najbardziej wyszukane ich żądania. Rozpływał się cały w uśmiechach, serdecznościach dotąd, dopóki mu byli potrzebni. Gdy okazywali się bezskuteczni, odtrącał ich, zapominał, nie widział.

Przez ludzi był nie lubiany. Podśmiechiwano się z niego. Gardzono nim, a nawet nienawidzono. Nie miał przyjaciół. Zresztą nie chciał mieć przyjaciela, bo bał się, że to może kosztować, że będą wydatki, że będzie musiało być coś za darmo.

Był tylko chyba jeden człowiek na świecie, który Twardowskiego kochał. Było to dziecko. Córeczka ogrodnika mieszkającego w tym domu. Właściwie nie córka, ale podrzutek, znajda, którą kiedyś przed paru laty znalazł ogrodnik przed bramą wejściową.

Czyje to było dziecko, nikt nie wiedział. Żona ogrodnika nie była zachwycona, gdy przyniósł je do domu, bo miała własne dzieci. Początkowo nawet chciała kogoś namówić, aby sobie dziecko wziął. Ale nikt się do tego nie kwapił i tak w końcu zostało w jej domu. Ale nie miała do niego serca. To małe dziecko uwielbiało Twardowskiego. Trudno zrozumieć dlaczego, właściwie bez powodu. Jedyna przysługa, jaką on jej wyświadczał, to był spacer, na który brał ją od czasu do czasu. Po prostu wtedy, gdy był zmęczony, a nie chciał pozostawać w samotności, schodził na dół i brał dziecko na spacer, szedł z nim do parku albo nad rzekę. Wracał do domu wypoczęty i odświeżony. Dziecko było dla niego praktyczniejsze niż pies, wygodniejsze i bardziej interesujące, ponieważ można było z nim porozmawiać. Te spacery traktował również jako element reklamowy. To zawsze robiło dobre wrażenie na jego znajomych, zwłaszcza na starszych paniach. Wzruszający obrazek: przystojny, starszy pan, znany bogacz, prowadzący za rękę na spacer sierotę. Twardowski nie przywiązywał do tego dziecka żadnego znaczenia, nie darzył go żadnym uczuciem, nawet go nie zaprosił nigdy do siebie. Nie zdawał sobie sprawy, że to dziecko bardzo go kochało, a może tylko nie liczył się z tym.

Myślał wciąż wyłącznie o jednym, w jaki sposób najszybciej wzbogacić się. Ktoś mu wreszcie poradził, by — jeżeli chce mieć dużo pieniędzy — zapisał swoją duszę szatanowi. Czy to powiedział żartem, czy poważnie, trudno dociec. Twardowski pytał ludzi — trochę żartem, trochę naprawdę — gdzie można spotkać szatana. Znowu ktoś doradził, że najłatwiej może znaleźć szatana w wieży zegarowej starego zamku. W tej wieży kiedyś bandyci — jak głosiło podanie — powiesili na belce właściciela zamku, starego sknerę, za to, że nie chciał im wydać ukrytych pieniędzy. Tylko — mówiono mu — trzeba tam znaleźć się o dwunastej w nocy, dokładnie w chwili, gdy zegar bije północ.

Nikomu nic nie mówiąc poszedł na zamek w oznaczonym dniu tuż przed północą. Była ciemna noc, nie świecił ani księżyc, ani żadna gwiazda, ciężkie chmury nisko wisiały nad ziemią, zakrywały całe niebo. Ruiny zamku były niewidoczne w tych ciemnościach. Z trudem znalazł basztę zamkową, pchnął ciężkie drzwi i zapalił latarnię. Rozejrzał się. Wewnątrz zobaczył pełno jakichś starych przykurzonych gratów, z boku przylepione do ściany czerniały schody. Ostrożnie, trzymając się poręczy, wspinał się na górę. Schody głośno skrzypiały, zbutwiałe poręcze chwiały się. Miał wrażenie, że lada chwila schody się zwalą. Wreszcie wyszedł na piętro. Znalazł się w obszernej sali. Na środku stał ciężki stół, pod ścianami drewniane ławy. Opodal schodów zauważył starą szafę. W jej drzwiach było umocowane lustro, zajmujące całą wielkość drzwi. Postawił latarnię na stole. Było cicho, tylko wiatr świstał w szparach i trzeszczały wiązania dachowe.

Chociaż uważał się za odważnego człowieka, coraz bardziej bał się tego spotkania, którego przecież sam chciał. Jaki jest szatan? Jak wygląda ten, który jest samym złem? Czekał niecierpliwie aż nadejdzie północ. Rozglądał się. Wszędzie było pełno starych pajęczyn, pod sufitem wisiały uczepione u belki nietoperze. Wreszcie przyszła godzina dwunasta. Zegar zaczął skrzypieć, warczeć, zgrzytać, potem padło pierwsze uderzenie, drugie, trzecie. Liczył niecierpliwie. Uderzenia były potężne. Zdawało mu się, że huk dzwonu rozsadzi mu czaszkę. Doczekać się nie mógł końca. Wreszcie przyszło ostatnie uderzenie. I wtedy, gdy spodziewał się, że nastanie wreszcie upragniona cisza, w okno wtargnął poryw wiatru, otworzył je z trzaskiem. Zgasło światło latarni. Wiatr napełnił izbę szumem i wyciem. Wszystko zdawało się wirować. Przelatywały chmary kruków, wron, kotłowały się nietoperze. Miał wrażenie, że jeszcze chwila i runie stara wieża. Wreszcie zawierucha, która tak nagle wybuchła, uciszyła się. W tej dzwoniącej w uszach ciszy przerażony Twardowski drżącymi rękoma odszukał po omacku latarnię, zapalił ją i zaczął rozglądać się po sali. Zdawało mu się, że jest inaczej niż było, że coś tu się zmieniło, że ten szalejący wiatr coś tu poprzestawiał. Popatrzył wokoło. Wszystko było jak dawniej. Tak samo jak poprzednio na środku stał stół, pod ścianami stare, zakurzone ławy, nad głową wiszące nietoperze. Ale nie. Jednak coś się zmieniło. Zamknięte dotąd drzwi lustrzane odchyliły się. W lustrze zobaczył jakiegoś człowieka, który stał spokojnie i przyglądał się mu. Uderzyło go to, że ten człowiek miał wzrost prawie identyczny jak jego własny i podobną sylwetkę. Twardowski spoglądał na niego, wciąż nie wiedząc, kto to może być, skąd on się tutaj wziął. Nagle przyszło mu do głowy, że to jest chyba ten, którego oczekuje. Tylko czy to jest możliwe, żeby szatan był w takiej postaci, tak normalnie ubrany, tak normalnie wyglądający. W odpowiedzi na to, co myślał, usłyszał:

— Nie taki diabeł straszny, jak go malują.

Ale wciąż jeszcze nie był pewny. Wziął więc lampę ze stołu, podszedł do tego dziwnego nieznajomego stojącego w lustrze szafy. Wtedy dopiero spostrzegł z przerażeniem. że ten nieznajomy jest nim samym. „Przecież to jest moja twarz, moje oczy, mój nos, moje wargi. Może tylko wargi bardziej zacięte, oczy bardziej drapieżne, ostrzejsze zmarszczki przy ustach — tak jak gdyby moja twarz, ale o dziesięć lat starsza". Patrzył jak urzeczony w nieznajomego: „Czy ja śnię, czy ja nie zwariowałem?" Ażeby przerwać tę męczącą dla siebie sytuację, zgodnie z tym, jak sobie ułożył, zaczął mówić, że potrzebuje pieniędzy i że jest gotów podpisać cyrograf.

— Cyrograf? — zdziwił się tamten. — Żartujesz chyba. To kiedyś opowiadano dzieciom takie bajeczki. Ale to nie te czasy. Zapisywać duszę? Nie potrzeba zapisywać.

— No dobrze, ale co mam ci dać za pieniądze, za bogactwo, którego chcę od ciebie?

— Nic. Nic mi nie musisz dawać.

— Co mam zrobić?

— Rób to, co robisz. Wtedy będziesz miał dużo pieniędzy.

— I co dalej? — pytał nieznajomego. Nie wiedział, jakie jeszcze mógłby postawić pytanie, a nie chciał kończyć rozmowy.

Ale nieznajomy nie odpowiedział ani słowa. Wobec tego trzeba było odejść. Jeszcze raz spojrzał na niego niedowierzająco, odwrócił się i zszedł na dół po schodach. Wrócił cały roztrzęsiony do siebie do domu, wciąż nie wiedząc, czy to była rzeczywistość, czy tylko złuda.

— No i stąd mam teraz tyle pieniędzy — kończył ze śmiechem opowiadanie. — Jak jesteście ciekawi, czy mówię prawdę, czy też nie — dodawał słuchaczom — spróbujcie tam iść do niego tak jak ja, może go też spotkacie.

Czy to, co opowiadał swoim znajomym, było naprawdę, czy też tylko zmyślał, nikt nie wiedział. Fakt był jeden bezsporny: Twardowski miał coraz więcej pieniędzy, powodziło mu się znakomicie i coraz lepiej.

Płynęły lata. Twardowski przebudował dom, zapełnił go świetnymi, bogatymi meblami, starymi obrazami, miał szerokie kontakty z ludźmi, tak w mieście swoim jak w swoim kraju a nawet za granicą. Zdarzyło się razu pewnego, że wydał wielkie przyjęcie. Chętnie tego nigdy nie robił, bo zawsze żałował pieniędzy na niepotrzebne wydatki. Ale, jak i zawsze, było ono całkiem nieprzypadkowe. Chodziło o załatwienie paru ważnych interesów. Gości zaprosił mnóstwo, mnóstwo też ludzi przyszło. Stoły obficie zastawiono. Były do dyspozycji najlepsze potrawy, wina, przysmaki, świetna służba, znakomita orkiestra. Wszystko toczyło się zgodnie z planem. Gdzieś około północy udało się Twardowskiemu sfinalizować wszystkie swoje ważne sprawy. Podochocony sukcesami wznosił toasty i sam też spełniał toasty, które wznosili jego współpartnerzy. W pewnym momencie poczuł, że przeholował, że za dużo wypił. Nie lubił tego nigdy, bo wiedział, że zawsze wtedy istnieje niebezpieczeństwo popełnienia jakiegoś nieodwracalnego głupstwa. Zdobył się jeszcze na ten jeden wysiłek, wiedząc, że za moment może być za późno: wyszedł z salonów. Chciał znaleźć jakieś bardzo ustronne miejsce, gdzie nikt mu nie będzie przeszkadzał. Wszedł do swojej garderoby. Nie było tam nikogo. Panował półmrok. Usiadł w fotelu. Naprzeciw na ścianie wisiało ogromne lustro. Nie zapalał światła, żeby lepiej wypocząć. Ogarnęła go cisza, chłód. Chciał szybko wytrzeźwieć. Rozsiadł się wygodnie, przymknął oczy. Dopiero teraz poczuł, jak szumi mu wino w głowie. Rozmarzył się. Czuł się szczęśliwy. Był bogaty i wiedział, że będzie coraz bardziej bogaty. Miał już wszystko, co chciał, a jeszcze na dodatek miał salony pełne gości i uznanie ludzkie. Po chwili otworzył oczy, bo zdawało mu się, że ktoś jest w pokoju. Faktycznie, naprzeciw niego siedział w fotelu szatan. Był podobny do niego, tak jak wtedy, gdy go spotkał w baszcie na zamku. Miał na sobie wieczorowe ubranie takie jak Twardowski, tylko jego włosy były trochę rozwiane, wzrok przymglony. Chwilę wpatrywali się w siebie: on siedzący w fotelu i tamten w lustrze. Wreszcie rzekł z uśmiechem do szatana:

— No i spełniły się twoje słowa: jestem bogaty. Nie tylko jestem bogaty, ale potrafię robić takie wystawne przyjęcia, jak dzisiaj, na które kogokolwiek bym zaprosił, każdy przyjdzie.

Szatan milczał, jakby nie miał mu nic do powiedzenia. Jakby przyszedł na to tylko, aby odpoczywać wraz z nim.

Nagle przyszło Twardowskiemu do głowy, żeby wykorzystać to spotkanie i spytać o swoją przyszłość.

— A co będzie ze mną dalej, możesz mi powiedzieć?

Szatan dał mu wymijającą odpowiedź:

— Jeżeli będziesz tak postępował dalej, jak postępujesz dotąd, będziesz jeszcze bogatszy.

— Nie. Nie wykręcaj się. Wiesz, o co cię pytam. Powiedz konkretnie, jak będzie wyglądało dalsze moje życie. Co ważnego jeszcze mnie w życiu spotka.

Szatan chwilę milczał, a potem odpowiedział:

— Nikomu nie wolno mi zdradzać przyszłości, jaka go czeka.

— Ale mnie? Dlaczego miałbyś mnie nie zdradzić mojej przyszłości? Myślisz, że mogę się zmienić? Myślisz, że mogę zmienić moje życie, może mój majątek rozdać ubogim?

Zaczęli się śmiać równocześnie. Śmiali się długo, wreszcie szatan wysapał:

— Nie. Nie wierzę. Nie wyobrażam sobie ciebie rozdającego ubogim pieniądze.

— Wobec tego powiedz.

Szatan najwyraźniej jeszcze się wahał. Aż wreszcie przystał:

— Dobrze. Dzisiaj jestem trochę pijany, to mogę ci powiedzieć: ożenisz się.

— Ja, z kim?

— Z najbogatszą kobietą w mieście.

— Która z kobiet w naszym mieście jest najbogatsza? Doprawdy nie wiem.

— Nie szukaj wśród panien. — Szatan naprowadzał go na trafną odpowiedź. — Zresztą, chcesz ją zobaczyć?

— Proszę bardzo.

Szatan zniknął, a na jego miejsce w lustrze pojawiła się kobieta. Znał ją dobrze. To była żona najbogatszego bankiera w mieście.

— Przecież ona jest mężatką — powiedział Twardowski nie bardzo wiedząc, czy go szatan słyszy. Padła odpowiedź:

— Ale będzie twoją żoną.

— A co z mężem? — zdziwił się Twardowski.

— Umrze.

W Twardowskim zbudziło się podejrzenie.

— Mąż jest zdrowy, nie wygląda na to, żeby szybko miał umierać. Czy przypadkiem nie ja przyczynię się do jego śmierci?

— Jak chcesz wiedzieć, to ci powiem: tak.

Zaczęli się śmiać.

— A więc ja będę maczał w tym palce?

Szatan odpowiedział wciąż śmiejąc się:

— Nawet nie tylko palce, ale całą rękę.

W lustrze znowu pojawił się przed nim szatan siedzący w fotelu tak jak i on.

— A co będzie potem? — spytał Twardowski.

Szatan w pierwszym odruchu znowu się zawahał, ale w końcu powiedział:

— Zgoda. Dzisiaj jesteś ty pijany i ja jestem pijany, mogę ci pokazać, co będzie dalej.

Lustro jakby zmatowiało, Twardowski zobaczył siebie ubranego w czarny garnitur, siedzącego obok biało ubranej żony bankiera.

— A to co? — spytał szatana.

— A to jest uczta weselna po twoim ślubie z żoną bankiera.

— Ale przyznać musisz, że jest bardzo brzydka. Jak można mieć taką brzydką żonę — westchnął.

— Nie bój się, nie będzie to długo trwało.

— Niedługo? Co to znaczy?

— No, bo umrze. Popatrz!

Twardowski zobaczył leżącą w trumnie swoją żonę. Znowu zapytał podejrzliwie:

— A co będzie powodem jej śmierci? Czy także ja?

Szatan zaczął się śmiać:

— Ściśle biorąc, trucizna z twojej ręki. Ale nie musisz się martwić, że twojej żony już nie będzie. Pozostanie po niej majątek, a ty jedynym spadkobiercą.

Znowu zaczęli się obaj śmiać.

— A co będzie dalej? — spytał Twardowski.

— A co chcesz jeszcze? — spytał szatan.

Twardowski sam nie miał pojęcia, co chce jeszcze wiedzieć, ale nagle przyszło mu do głowy pytanie:

— A jak będzie wyglądała moja śmierć?

— A nie. To — to nie.

— Ależ pokaż, pośmiejemy się razem. Dzisiaj taka zabawa.

Szatan się nie zgadzał.

— Przecież każdy musi umrzeć, na to, jak dotąd, nie ma lekarstwa — tłumaczył mu Twardowski.

— Dobrze. Zgoda — powiedział szatan. — Ale żebyś nie żałował.

— Nie. Nie będę. Na pewno.

Obraz szatana zniknął. Twardowski zobaczył w lustrze siebie samego leżącego na wspaniałym łożu. Był bardzo starym, chudym, kościstym człowiekiem z siwą rozmierzwioną czupryną. Wyglądał strasznie. Z trudem odnajdywał w tym starcu swoje rysy.

— O, to długo pożyję, jak z tego wynika — powiedział zmienionym głosem.

— A długo, długo. Dobrobyt pomaga długo żyć.

— Ale dlaczego jestem w łóżku?

— Chorujesz trochę na serce. Jest noc. Wszystkie pokoje oświetlone, tak jak sobie tego życzyłeś.

Twardowski widział, jak starzec podnosi się z trudem z łóżka, idzie przez bogato urządzone pokoje, podchodzi do jakiegoś obrazu wiszącego na ścianie, wpatruje się w niego, z czułością, potem idzie dalej, zbliża się do wspaniałego stołu, dotyka jego marmurowego blatu, rzuca się na niego z łkaniem, przywiera całym ciałem, po chwili dźwiga się, idzie dalej, gładzi oparcie krzesła, wreszcie dochodzi do swojego biurka, trzęsącymi się rękoma otwiera dolną szufladę, wyjmuje klucze, podchodzi do kasy pancernej, otwiera ją. Pełna jest banknotów, dokumentów, papierów wartościowych. Bierze w ręce jakiś stos pieniędzy, kartkuje je, wkłada na swoje miejsce, otwiera schowek, wyciąga garść kosztowności, jakieś pierścienie złote, spinki, nausznice, diamenty, perły, naszyjniki, przesypuje z ręki do ręki, wtula w nie twarz, chowa do tej samej szuflady, skąd wziął, zamyka szafę pancerną, odkłada klucze do biurka, wlecze się coraz bardziej zgarbiony, pochylony, najwyraźniej w wielkim bólu, z ogromnym trudem stawiając krok za krokiem, przytrzymuje się szaf, stołów, stołków, ścian, powoli zbliża się do łoża, po drodze napotyka lustro, zatrzymuje się przed nim, wpatruje się w swoje oblicze, przygląda się podkrążonym oczom, niezdrowej cerze poplamionej brązowymi placami, przeciąga dłonią po wychudłym policzku, poprawia włosy i nagle poznaje w swoim odbiciu szatana, który mówi do niego: „Już czas". Te słowa szatana najwyraźniej go zaskakują, jest zdziwiony, przerażony, łapie się za serce, jego twarz wykrzywia się w jakimś strasznym grymasie bólu. W tym momencie postać starca załamuje się, pada jak podcięta na ziemię.

Nagle lustro zaciemniło się. Twardowski patrzył na te obrazy w coraz bardziej narastającym strachu. Chciał się zerwać, uciec, żeby nie widzieć tego dłużej. Ale nie był w stanie. Siedział jak wrośnięty w fotel. Wreszcie z najwyższym wysiłkiem powstał i nie patrząc już w stronę lustra skierował się do drzwi. Wyszedł z garderoby. Uderzyło go światło słońca. Teraz dopiero spostrzegł, ile czasu tam spędził. To już był ranek. Nie spotkał nikogo z gości. Szedł przez puste salony. Stoły były jeszcze zastawione resztkami jedzenia i trunków — zwyczajny nieporządek po zabawie. Prawie tego nie widział. Napotkał wzrokiem biurko, kasę pancerną, obraz, który widział w lustrze, potem drogocenny stół, który faktycznie kosztował cały majątek. Zaczął mówić do siebie:

— Całe życie poświęciłem na gromadzenie tego wszystkiego, ażeby teraz, za parę lat to zostawić. Przecież to szaleństwo. — Patrzył na to nawet nie z pogardą. Były dla niego to już tylko obce, bezwartościowe przedmioty.

— Co mnie potrafiło tak zaślepić?

Czuł się tak, jak gdyby wszystko zapadło się pod jego nogami. To, co było najważniejsze dla niego, cel jego dążeń, starań, czemu poświęcał każdą chwilę czasu, swój wysiłek i myśli, co go dotąd w sposób absolutny angażowało, całkowicie pochłaniało, co było przedmiotem jego marzeń — pieniądze, teraz ukazywało się jako kompletne śmieci.

Pojawiło się przed nim całkiem konkretne pytanie: „Co dalej robić w życiu? Jeszcze więcej pieniędzy zebrać? Jeszcze parę mebli kupić? Może obrazów, może ziemi? Nonsens. Po co? Ale wobec tego co robić"? Nie umiał nic innego robić. Cały czas zajmował się pieniędzmi. Im poświęcił bez reszty całe swoje życie. „Co dalej robić"? Poczuł się zawieszony w absolutnej pustce. Życie bez załatwiania, bez interesów, bez robienia wciąż nowych pieniędzy okazywało się bezsensowne. Nie miał żony, nie miał dzieci, nie miał przyjaciół, był zupełnie sam. Nie było nikogo, kto by go kochał. Wszyscy ludzie, z którymi miał kontakty, których znał, to byli interesanci. Dotąd istnieli w jego życiu, dotąd on istniał w ich życiu, dopóki były sprawy do załatwienia. Zresztą nie miał podstaw, by występować z jakimiś pretensjami. Przecież nie było człowieka, dla którego uczyniłby coś bezinteresownie, nie mógł więc mieć pretensji o wdzięczność, o współczucie, o jakikolwiek akt serdeczności. Przecież sam wobec żadnego człowieka na to się nigdy nie zdobył.

Dochodził do wniosku, że można teraz jedno zrobić: popełnić samobójstwo. Zastanawiał się tylko — gdzie? Tutaj w domu, czy gdzieś poza miastem. Ale już za moment przyszła odpowiedź na to pytanie: baszta zegarowa. „To jest jedyne najlepsze miejsce dla mnie, by sobie odebrać życie". Skierował się w stronę wyjścia. Przypadkiem rzucił okiem na szafę wbudowaną w ścianę. W jej drzwiach tkwiło wielkie lustro. Uderzyło go naraz własne odbicie: zmęczona twarz, wyostrzone rysy, głębokie bruzdy zmarszczek koło nosa i koło ust. Patrzył na siebie jak na nieznanego człowieka. Nagle przyszło mu do głowy: „Ja chyba ten obraz kiedyś widziałem. Tylko gdzie i kiedy"? Gdy tak usiłował sobie przypomnieć, nagle stanęła przed jego oczami tamta dziwna noc sprzed lat w baszcie zegarowej, w sali na górze. „Przecież tak wyglądał szatan, jak ja w tej chwili" — uświadomił sobie. I wtedy wszystko zrozumiał. „Teraz już wiem. Tyś miał rację, kiedyś mi powiedział, że nie trzeba, abym podpisywał cyrograf. I tak masz moją duszę. Tylko że mnie haniebnie okłamałeś". W tej chwili zobaczył, że odbicie w lustrze zareagowało na te jego słowa.

— Ja cię okłamałem? — usłyszał głos w lustrze.

— Oczywiście, okłamałeś mnie. Jestem nieszczęśliwy.

— Chciałeś być bogaty i stałeś się bogaty, czy nie tak? Miłości ci dać nie mogę. Mogę ci dać pieniądze i otrzymałeś je.

— Co mi z bogactwa, gdy jestem samotny — rzekł Twardowski i skierował się ku wyjściu. Nagle zatrzymał go głos szatana:

— Nie jesteś samotny, ja jestem z tobą.

— Dziękuję za takie towarzystwo.

— Jak to dziękujesz, przecież tyle lat jestem z tobą — powiedział szatan urażonym tonem. — Tak jak teraz jesteśmy, zostaniemy razem na zawsze.

Twardowski wściekły nagłym ruchem podniósł wazon, stojący na stoliku obok, i trzasnął nim w lustro, które rozsypało się na kawałki.

— Co ty robisz? — usłyszał w tej chwili głos za swoimi plecami. Wstrząsnął się zaskoczony, odwrocił się gwałtownie. Przed nim stała przybrana córeczka ogrodnika.

— Po coś tu przyszła? — wyjąkał wciąż przestraszony. — Skąd się tu wzięłaś?

— Przyszłam, żeby zobaczyć, czy jesteś w domu. Chciałabym, żebyś poszedł ze mną na spacer — powiedziała, sama nie wiedząc dlaczego. Ale chyba dlatego, że jej się nie podobało to mieszkanie nie posprzątane. — Wczoraj był tu taki ruch i gwar w całym domu, a dzisiaj tak cicho — rozgadała się. — Wyszłam na schody, po schodach na piętro, otworzyłam drzwi, nie były zamknięte na klucz, po cichutku na palcach szłam przez pokoje i tak napotkałam ciebie.

Nie było mu na rękę to jej przyjście. Chciał się jej jak najszybciej pozbyć.

— Idź do domu. — W tej chwili nie miał zamiaru nikogo widzieć.

— Nie pójdziemy na spacer?

— Teraz nie mam czasu — odrzekł jej szorstko.

— No to kiedy? — zapytała dziewczynka.

— Nigdy, bo odchodzę stąd.

— Odchodzisz, a dokąd?

— Daleko.

— No to poczekaj na mnie chwileczkę, ja się tylko idę ubrać i zaraz będę gotowa.

— Po co chcesz się ubrać? — spytał zdziwiony.

— Jak to po co? Pójdę z tobą.

— Ale ja nie mogę cię zabrać ze sobą — krzyknął już prawie zezłoszczony, że ten mały brzdąc chce ingerować w jego życie. — Ani nawet nie mam takiego zamiaru.

Dziecko słuchało krzyku ze zdziwieniem, prawie nie dowierzając temu wszystkiemu. Nagle w jego szeroko otwartych oczach pojawiły się łzy i zaczęły spływać po policzkach. To nie był płacz. Nie było żadnych szlochów. Tylko wielkie jak groch łzy toczyły się po buzi i spadały na ziemię.

— Czemu płaczesz? — spytał zniecierpliwiony.

Chwilę milczała, potem przełamując wewnętrzne łkanie, powoli, prawie szeptem odpowiedziała:

— A kto będzie ze mną chodził na spacery, jak ty pójdziesz? Kto będzie ze mną rozmawiał? Przecież wiesz, że cię kocham. Gdybyś odszedł, to ja bym umarła — zakończyła stanowczo.

Zaśmiał się sztucznie, chcąc śmiechem pokryć swoje zmieszanie. Niby jakoś wiedział o jej przywiązaniu, ale to oświadczenie, które teraz słyszał, było dla niego zupełnym zaskoczeniem. To zdanie wypowiedziane poważnym głosem przez maleńkiego człowieka tu w pustym pokoju, w momencie kiedy chciał sobie odebrać życie, zrobiło na nim ogromne wrażenie. Coś jakby przełamało się w jego duszy. Sam nie wiedział nawet, co się z nim dzieje. A ona tymczasem, uspokojona jego milczeniem, uważała sprawę za załatwioną.

— Chodźmy już stąd — powiedziała.

— A gdzie chcesz żebyśmy poszli?

— Nie wiem. To ty mówiłeś, że chcesz iść. Powiedz, dokąd pójdziemy.

— Sam nie wiem. Gdzieś w świat.

— Dobrze. Pójdziemy w świat. Ty będziesz pracował, ja będę na ciebie czekała w domu i będę ci przygotowywała obiad. Już umiem robić herbatę. Kiedy tylko wrócisz z pracy, będziesz mi opowiadał bajki, a potem pójdziemy na spacer.

Wzięła go za rękę i zaczęła powoli schodzić z nim razem po schodach w dół. Nie wiedział dokładnie, dokąd idzie. Szli przez ulice o tej porze puste, a on był szczęśliwy. Po raz pierwszy w życiu ktoś powiedział mu, że go kocha. Jeszcze naprawdę nie wiedział, dokąd idą i co będzie robił dalej.

W mieście dużo mówiono o tajemniczym zniknięciu Twardowskiego. Krążyły najrozmaitsze pogłoski. Niektórzy mówili, że szatan porwał go do piekła. Inni, że Twardowski uratował się, bo przypomniał sobie modlitwę, której go kiedyś nauczyła matka. Mówili, że zaczął śpiewać godzinki, że szatan przerażony tym zostawił go na księżycu i tak siedzi tam Twardowski do tego czasu. Ale naprawdę, to poszedł z tym dzieckiem w świat. Z dzieckiem, które go pokochało, w którym znalazł cel swojego życia.

LUDZKIE KRZYŻE

Był człowiek, który narzekał na swoje życie. Skarżył się, że jest mu ciężko, bo mieszkanie niewygodne, za ciemne, za ciasne, że dochody za małe, że jego rówieśnicy, którzy podobne szkoły ukończyli, zarabiają daleko więcej niż on. Mówił, że innym jest łatwiej żyć, że lepiej dają sobie radę ze złymi ludźmi, z trudnymi okolicznościami, że im wszystko układa się korzystnie, a jemu jest źle i to z roku na rok coraz gorzej. Twierdził, że gdyby się urodził kilkadziesiąt lat wcześniej albo kilkadziesiąt lat później, to wtedy na pewno byłoby wszystko inaczej. Chodził wciąż smutny, skwaszony, zniechęcony.

Razu pewnego, gdy spał, śniło mu się, że ktoś go budzi. Otworzył oczy i zobaczył postać stojącą koło jego łóżka. Chociaż nigdy Anioła nie spotkał, wiedział, że to jest Anioł. Nie czuł w sobie żadnego lęku. Anioł stał nad nim, jakby czekając na jego przebudzenie. A gdy spostrzegł, że on już nie śpi, łagodnym zapraszającym ruchem dał mu znak, aby wstał:

— Wstań proszę — powiedział.

Człowiek ów, wcale tym nie zdziwiony, podniósł się z łóżka. Stanął obok tajemniczego gościa. Popatrzył pytająco na niego. A wtedy Anioł z uśmiechem powiedział:

— Pójdź, proszę, ze mną.

Człowiek spytał go nieśmiało:

— Dokąd chcesz, żebyśmy poszli?

— Zaraz zobaczysz — odpowiedział Anioł.

Podążył więc za nim. Anioł wiódł go przez jego mieszkanie, wyprowadził go na klatkę schodową i zaczął wstępować po schodach na górę. Człowiek wciąż nie wiedział, dokąd idą i co to ma wszystko znaczyć, ale nie śmiał pytać. Był tylko pewny, że to chodzi o jakąś bardzo ważną sprawę, która go bezpośrednio dotyczy. Postępował w milczeniu za Aniołem coraz bardziej ciekawy, dokąd wiedzie go ten wysłannik Boga. Szli długo po schodach, aż stanęli przed drzwiami. W pierwszej chwili nie mógł zorientować się, dokąd drzwi prowadzą, ale za moment poznał, że to drzwi wiodące na jego strych. Anioł otworzył drzwi i weszli do wnętrza. Wtedy człowiek zobaczył, że to wcale nie jest strych jego domu. To była wielka sala, pod której ścianami stały nagromadzone krzyże — tysiące, dziesiątki tysięcy, nieprzeliczona ilość; krzyże były różne, dziwne: ogromne, małe i całkiem maleńkie, proste i ozdobne, ze złota i z drewna, malowane, heblowane, wysadzane drogimi kamieniami i całkiem zwyczajne, cięte z brzozy. Przyglądał się uważnie tym krzyżom. Każdy z nich był inny. Czasem zdawało mu się, że znalazł dwa identyczne, ale później zauważał, że tak nie jest, że różnią się pomiędzy sobą przynajmniej jakimś szczegółem.

Po chwili człowiek przełamując nieśmiałość spytał Anioła:

— Skąd tu tyle krzyży? Po co tu stoją? Do kogo należą?

Usłyszał jego głos:

— To są ludzkie krzyże.

— Ludzkie krzyże? — powtórzył człowiek, niewiele z tego rozumiejąc.

— Każdy musi jakiś nieść — mówił dalej Anioł.

— Ach tak. Teraz rozumiem, dlaczego tyle tych krzyży i dlaczego każdy z nich jest inny. Ale po co przyszliśmy tutaj?

Anioł odpowiedział:

— Pan Bóg polecił mi, abym ciebie tu przyprowadził.

— Pan Bóg? — zdziwił się ów człowiek. — Dlaczego?

— Narzekasz na swój krzyż. Mówisz, że ci bardzo ciężko z nim iść. Bóg zezwolił, abyś tu przyszedł i wybrał sobie inny krzyż, jaki tylko zechcesz i żebyś z tym nowym krzyżem szedł dalej przez życie nie narzekając.

Człowiek słuchał tego, co Anioł mówił, prawie nie wierząc swoim uszom. W końcu powiedział:

— Czyż to jest możliwe, żeby Wielki Bóg chciał się zajmować takim człowiekiem jak ja?

— Pan Bóg naprawdę przysłał mnie do ciebie — potwierdził Anioł.

— Będę mógł wybrać krzyż taki, jaki tylko zechcę? — spytał wciąż jeszcze nieufny.

— Tak. Naprawdę — powtórzył Anioł jego słowa. — Możesz wybrać taki krzyż, jaki tylko zechcesz.

— I będę mógł z nim iść przez całe życie? — pytał człowiek, chcąc się upewnić.

— Tak. Będziesz mógł iść z nim, jeżeli tylko zechcesz, przez całe twoje życie — odpowiedział mu Anioł.

Człowiek wiedział już, który krzyż wybierze. Piękny, złoty krzyż przyciągał jego wzrok od pierwszej chwili. Pomyślał: „Wreszcie będę miał wspaniałe życie". Spytał nieśmiało Anioła wskazując na ten krzyż:

— Czy mogę go wziąć?

Anioł skinął głową:

— Tak.

Uradowany człowiek podbiegł do upatrzonego krzyża, objął go mocno, aby go włożyć na swoje ramiona, ale nadaremnie. Nie potrafił go nawet ruszyć. Krzyż był bardzo ciężki. Mimo to człowiek nie chciał z niego zrezygnować. Wytężył wszystkie siły. Nic nie pomogło. Krzyż nawet nie drgnął. Zaskoczony tym i rozczarowany powiedział do Anioła:

— Za ciężki.

— Spróbuj znaleźć inny, który będzie lepszy dla ciebie — powiedział spokojnie Anioł.

Człowiek rozejrzał się po sali i skierował w stronę innego krzyża, również złotego, choć nie tak dużego, który też wcześniej już spostrzegł. Krzyż ten był wysadzany wspaniałymi kamieniami, ozdobiony wyszukanym ornamentem. Podszedł do niego, z trudem położył go sobie na ramiona. Zrobił z nim parę kroków i przekonał się, że niestety ten też jest za ciężki, a poza tym dokuczliwie gniotą go w ramiona te wspaniałe ozdoby i drogie kamienie, które go tak zachwycały. Odezwał się trochę do siebie, trochę do Anioła:

— Jest niemożliwe, żebym mógł z nim iść dłuższy czas.

— Znajdziesz na pewno krzyż bardziej dla ciebie odpowiedni. Tylko nie zniechęcaj się — pocieszył go Anioł.

Człowiek rozglądnął się w poszukiwaniu i po chwili podszedł do krzyża też złotego, który był o wiele mniejszy. Faktycznie, był on również o wiele lżejszy, ale za krótki. Gdy ułożył go sobie na ramionach i zaczął z nim iść, krzyż ten tłukł go po nogach i plątał mu krok. Odłożył go na miejsce. Wziął inny krzyż, ale ten mu też nie odpowiadał. Potem spróbował nieść inny i znowu inny. Coraz bardziej nerwowo, już nie chodził, ale biegał po tej ogromnej sali szukając krzyża dla siebie. Czas płynął, a on wybierał i wybierał bez końca. Wciąż nie mógł znaleźć krzyża, z którego byłby zadowolony. Bo były za długie albo za krótkie, za ciężkie, albo zbyt uciskały go ozdoby, albo po prostu nie podobały mu się w kształcie lub kolorze. Już zdawało mu się, że nie zdecyduje się na żaden, że nie znajdzie dla siebie odpowiedniego. Przyszło mu nawet do głowy, że może przez zapomnienie czy przeoczenie nie zrobiono stosownego krzyża dla niego. I gdy był na skraju rozpaczy, że będzie musiał wziąć jaki bądź, pierwszy lepszy, wtedy wreszcie znalazł taki, który był odpowiedni dla niego. Wszystko mu się w nim podobało: i ciężar, i długość, kolor, ozdoby. Wszystko było takie, jak chciał. Był świetny, najlepszy. Uszczęśliwiony podszedł z tym krzyżem do Anioła i powiedział:

— Znalazłem.

— Cieszę się, że znalazłeś — odrzekł Anioł.

Człowiek ów, jakby z obawy, by mu tego krzyża nie odebrano, powtórzył:

— Tak, ten mi odpowiada. Proszę cię, pozwól mi z tym krzyżem iść przez całe życie.

Anioł uśmiechnął się tajemniczo:

— Dobrze. — A potem dodał — A czy ty wiesz, że to jest twój krzyż?

Człowiek patrzył z niepokojem na Anioła nie rozumiejąc, o co chodzi. Wreszcie zapytał:

— Nie wiem, o czym mówisz?

Wtedy Anioł powiedział mu wyraźnie:

— Ten krzyż, który znalazłeś, to jest twój krzyż. To jest ten sam, który od początku życia niesiesz na swoich ramionach.

OPOWIADANIE WIGILIJNE

„Tylko pamiętaj: musisz być szczególnie grzeczny w czasie Adwentu, bo inaczej nie narodzi się dla ciebie Pan Jezus". Janek pamiętał o tym dobrze, ale nie wiedział, co to znaczy. Wstydził się zresztą, że taki jest niemądry i nie śmiał nikogo pytać. „Bo co to znaczy, że Pan Jezus nie narodzi się dla mnie. Jak się narodzi, to się narodzi dla wszystkich. Zresztą co to znaczy, że się narodzi? Przecież raz już się narodził. Czy można się drugi raz narodzić? A może naprawdę tylko wtedy się dowiem, kiedy będę szczególnie grzeczny". I w gruncie rzeczy starał się być grzeczny w Adwencie.

Najpierw, jak rokrocznie, czekał na przyjście świętego Mikołaja. Prawdę mówiąc nie wiedział, jak to jest z tym świętym Mikołajem. Kiedyś w szkole nieopatrznie wyrwało mu się jakieś takie zdanie o świętym Mikołaju. Kolega, którego bardzo nie lubił, i który Janka też nie lubił, i przezywał go „ślamazara", zaczął wykrzykiwać:

— Patrzcie, jeszcze jeden, co wierzy w świętego Mikołaja.

Zresztą już wcześniej o tym mówili inni koledzy, że to nie żaden święty z nieba przychodzi z podarkami, tylko rodzice je podkładają. Na wszelki wypadek spytał mamy:

— Mamo, czy przyjdzie do ciebie święty Mikołaj?

— Nie. Święty Mikołaj przychodzi do dzieci. Tylko czasem przychodzi do starszych.

— To do ciebie też nie przyjdzie?

— Nie.

Janek zmarkotniał. Po chwili zapytał:

— A co chciałabyś dostać od świętego Mikołaja?

Mama nie wiedziała.

— No powiedz co. Może chusteczki do nosa. Ja mam takie piękne. Pamiętasz, w tamtym roku otrzymałem od babci na imieniny. Ale ich nie używałem, bo mi było żal. A tobie się bardzo podobały. Dobrze?

— Dobrze — odpowiedziała mama.

— Tylko jak to zrobimy? Bo ty nie możesz o tym wcześniej wiedzieć. Wobec tego podłożę ci pod poduszkę, a tobie będzie wolno tam dopiero zaglądnąć w nocy. Dobrze?

— Dobrze — mama się zgodziła.

— No a tatuś? Żeby mu nie było smutno. To może ja dla niego kupię skarpetki i tak samo zrobię.

W wieczór świętego Mikołaja Janek przyrzekał sobie, że nie będzie spał. Że musi przekonać się, czy to święty Mikołaj przychodzi, czy nie. Czytał jeszcze długo w łóżku, aż go mama upomniała. Zgasił światło, ale starał się czuwać. Początkowo nawet nie był śpiący. Potem jednak oczy same mu się zamykały. Walczył całym wysiłkiem woli, aby nie zasnąć. Nawet przez chwilę palcami przytrzymywał powieki. Specjalnie, żeby się rozbudzić, przypominał sobie rozmaite śmieszne historie, ale nic nie pomagało. Wreszcie powiedział sobie: „Zdrzemnę się na małą chwilkę. Tylko na moment".

Zbudził się w głębi nocy. W pierwszej chwili nie wiedział dlaczego, ale zaraz przypomniał sobie, że miał czuwać, bo chciał zobaczyć świętego Mikołaja. „Czy tylko on nie przyszedł wtedy, kiedy spałem?" Pocieszał się, że niemożliwe. „Przecież to była tylko chwilka". W tak krótkim czasie święty Mikołaj nie mógł przyjść. A może jednak? Sięgnął ręką pod poduszkę. Uspokojony stwierdził, że nie ma tam nic. Ale posłyszał jakiś delikatny szelest papieru nad głową. Sięgnął tam i namacał paczkę. Serce zaczęło mu się tłuc z wrażenia. Usiadł na łóżku, paczkę położył przed sobą na kołdrze i zaczął powoli, możliwie najciszej rozwiązywać sznurek. Ale nie bardzo sobie mógł z tym poradzić. Chciał jak najprędzej dostać się do środka, zaczął szamotać się z węzełkiem i wtedy obudziła się siostra. Tym lepiej, bo już nie trzeba było siedzieć w ciemności. Można było zaświecić lampkę nocną. Po cichutku, żeby nie zbudzić rodziców, wygrzebał się z łóżka, uklęknął na krześle, paczkę położył na stole i zabrał się do rozpakowywania. Siostra naśladowała go dokładnie. Też wyszła z łóżeczka, też uklękła na krześle. Spostrzegł, jak swoim zwyczajem z przejęcia wysunęła języczek, przygryzła zębami i rozwijała powolutku, uważnie papier, aby nie szeleścić. Ale na nic to się nie zdało. Nagle drzwi otworzyły się i wpadła do pokoju mama w nocnej koszuli. Porwała go w objęcia mówiąc:

— I do mnie przyszedł święty Mikołaj, popatrz, co mi przyniósł.

Pokazała mu chusteczki do nosa. Potem przyszedł tatuś, przytulił go i pokazał mu skarpety, które on wieczorem podłożył tatusiowi pod poduszkę. Chociaż naprawdę Janek nie był już taki pewny, czy to były te same, które on kupił, czy też ‚świętomikołajowe" — podobne wątpliwości miał co do chusteczek mamy. Ale nie było czasu na namyślanie się, bo mama zaraz wsadziła z powrotem jego i siostrę do łóżka. Poprawiła, jak to miała w zwyczaju, kołdrę koło szyi i przy nogach „żeby nie wiało", pocałowała go, zrobiła mu krzyżyk na czole, zgasiła światło, powiedziała:

— Śpijcie już, śpijcie, bo jutro szkoła — i wyszła po cichu wraz z tatą.

Długo nie mógł usnąć. Jeszcze chwilę szeptali sobie z siostrą rozmaite piękne rzeczy. Potem ona zasnęła. Usłyszał jej głęboki, regularny oddech. Wobec tego patrzył w ciemność i myślał sobie, że chyba bardziej się cieszy z tego, że sprawił mamie i tatusiowi radość, niż z tego, co on sam otrzymał. A właściwie to było i tak, i tak: cieszył się z tego jednego i z tego drugiego. Potem jakoś samo przyszło mu na myśl, że pastuszkowie i trzej królowie też musieli się cieszyć, gdy złożyli Panu Jezusowi dar. Jeszcze wpatrywał się tak po swojemu w ciemność przymrużonymi oczami, widział sznury kolorowych koralików zbiegających z góry na dół i migających wszystkimi barwami, i zasnął.

Po Mikołaju jak co roku zaczęło się przygotowywanie do Bożego Narodzenia. Wieczorami, gdy tylko była jakaś godzina wolna, gdy odrobione były wszystkie zadania i wykonane to, co do niego należało w domu, Janek wyciągał wraz z siostrą pudła z zabawkami i ozdobami choinkowymi i zabierał się do roboty. Po kolei, pudło za pudłem. Po otworzeniu każdego z nich okazywało się, jak wiele jest do zrobienia. Chociaż poprzedniego roku bardzo uważnie zdejmował zabawki z drzewka i z pomocą mamy wkładał do pudła, to jednak były one bardzo zniszczone. Wobec tego na nowo robił wydmuszki, malował na nich twarze pajaców, od góry dolepiał im szpiczaste czapki, a od dołu brody. Wycinał z kolorowego papieru pawie oka, robił jeże wbijając w korek szpilki z ponawlekanymi koralikami, a co najważniejsze — wiązał łańcuchy. I to rozmaite: ze słomek i z bibuły, ale najmilsze, najprostsze i najtrwalsze były zawsze te same „prawdziwe” łańcuchy sklejane z wąskich pasków kolorowego papieru. Na koniec trzeba było złocić orzechy, powbijać patyczki, przywiązać niteczki. Robota była długa i na pozór uciążliwa. Przynajmniej tak się mamie zdawało, bo niejednokrotnie przypominała i nakazywała, aby nie zaprzestać tej pracy. Ale Janek dziwił się mamie, że tego nie rozumie. Przecież przygotowywanie zabawek na drzewko to była czysta radość. On sam najchętniej codziennie siedziałby wieczorami nad tymi kolorowymi i migocącymi cudownościami. Jeżeli tę robotę odkładał na koniec swoich zajęć to tylko dlatego, że wiedział, że najpierw trzeba było wykonać swoje codzienne obowiązki. Pamiętał dobrze to, co mu mama powiedziała na początku Adwentu: „Jak będziesz niegrzeczny, to się nie narodzi dla ciebie Pan Jezus”. Wobec tego starał się być grzeczny.

Gdy już wszystkie zabawki były przygotowane, posegregowane, powkładane do nowych, świeżych pudeł, zabrał się do najprzyjemniejszej roboty: do odnowienia szopki. Odwinięta z papierów, w które była w ubiegłym roku zapakowana, okazała się do niczego: gwiazda była pogięta, szybki podarte, a pasterze i święty Józef byli trochę osmoleni. Jeżeli co, to mogła tylko zostać Matka Boska i Dzieciątko Jezus. Wobec tego trzeba się było postarać o nową słomę na dach i wreszcie zelektryfikować stajnię — jeżeli nie na transformator, to przynajmniej na baterie — bo świecić świeczkami w tych czasach, to już wstyd.

Tymczasem na ulicach coraz bardziej rozkręcał się świąteczny ruch. Na wystawach były rozmaite święte mikołaje z długimi brodami i krótkimi, ubrane w niebieskie szaty albo czerwone, aniołowie jak prawdziwi, gałęzie jodły z bańkami, świeczkami, prezenty poowijane w kolorowe opakowania, przewiązane błyszczącymi wstążeczkami, przygotowane tak, żeby tylko przyjść, kupić i podłożyć pod choinkę. Wszystkie napisy mówiły o zbliżających się świętach. Popołudniami nawet trudno było wejść do sklepów, bo tylu ludzi wchodziło i wychodziło, przepychało się i potrącało, spieszyło się, by zdążyć nie wiadomo gdzie i po co. Na placach wyrosły kolorowe stragany, gdzie sprzedawano włosy anielskie, gwiazdy, rozmaite cukierki. Wreszcie pojawiły się obok straganów choinki świerkowe, jodłowe, małe, malutkie i całkiem duże. Te lubił najbardziej. Gdy tylko wychodził po zakupy, korzystał z każdej okazji, by podejść do nich, dotknąć ich gałęzi.

„Co to znaczy, że Pan Jezus ma się dla mnie narodzić?" Ta myśl towarzyszyła mu wciąż wtedy, gdy patrzył na wystawy świąteczne, na ludzi spieszących się.

Na koniec tatuś przyniósł do domu choinkę. Uprosili go wraz z siostrą, żeby choinkę postawić tymczasem w ich pokoju. Stała piękna, zielona, pachnąca lasem i żywicą, i czekała, tak jak on, na święta. Nawet wtedy, gdy już zgasło światło i trzeba było spać, chociaż nie można było jej widzieć w ciemności, dobrze mu było z nią.

Aż przyszedł dzień wigilijny. Dom był pełen zapachów rozmaitych zup, ciast, pieczeni. Tylko nie wiadomo dlaczego od samego rana było wszystko w pośpiechu i na wszystko za późno, choć do wieczora była cała masa czasu. Mama co chwila ostrzegała, że trzeba z nią obchodzić się ostrożnie, bo może im obojgu urządzić lanie, a jak dzieci w Wigilię dostaną lanie, to będą je dostawały cały rok. Przypominała, że diabeł dzisiaj wszystko robi, żeby ludzi zezłościć, bo chce popsuć święta.

I mimo to doszło do tego, przed czym mama ostrzegała, doszło do awantury. Oczywiście przez siostrę, którą Janek musiał lekko ukarać. Ona uderzyła w ryk, jak zwykle nie wiadomo o co. Faktycznie zaczęła jej lecieć krew z nosa, ale przecież nic wielkiego się nie stało. W to niepotrzebnie wmieszała się mama. Janek usiłował spokojnie mamie wytłumaczyć, jak było z siostrą od początku do końca, wtedy mama upomniała go, żeby na nią nie krzyczał, bo nie ma prawa podnosić na nią głosu. W to z kolei wkroczył najzupełniej niepotrzebnie tata, zaczął krzyczeć, żeby Janek natychmiast przeprosił mamę. Nie chciał słyszeć żadnych wyjaśnień. Krzyczał tylko bez przerwy:

— Przeproś, bo dostaniesz lanie!

Nie dochodziło do niego zupełnie to, co Janek wciąż powtarzał, że chętnie przeprosi mamę, jak tylko będzie wiedział za co. No i oczywiście wszystko skończyło się wielkim laniem. Janek wrzeszczał wniebogłosy i to wcale nie dlatego, żeby go bardzo bolało, tylko uważał, że dzieje mu się krzywda, bo na lanie nie zasłużył. Potem musiał chwilę stać w kącie, a co najgorsze, mama się na niego obraziła i nie chciała się do niego odzywać, chociaż on próbował na wszystkie sposoby. Wobec tego Janek też się na mamę obraził. — Jeżeli mama się nie chce odzywać, to nie musi, ale on do mamy też nie będzie mówił nic. Może milczeć, tak jak mama, i udawać, że mamy nie dostrzega, tak samo jak ona jego. — A więc było gorzej niż źle i to w dodatku w taki dzień. Najbardziej był wściekły na siostrę, która naraz stała się ta dobra, najukochańsza i do tego pokrzywdzona. Do pasji doprowadzało go to, że chciała spełniać rolę pośrednika między nim a mamą.

Tak już zostało do samego wieczora. Namyślał się, czy by nie pójść z domu, żeby nie zasiadać przy stole wigilijnym. „Może wtedy by sobie przypomnieli o mnie". Ale właściwie nie bardzo miał gdzie iść. U wszystkich kolegów była też na pewno Wigilia i byłoby to dla nich niezręczne, gdyby on do nich przyszedł. Wtedy zresztą z pewnością zainteresowaliby się nim rodzice jego kolegów, dzwoniliby do taty Janka. Nie, to nie miało sensu. Po ulicach nie chciało mu się spacerować. Był przed południem po zakupy i zmarzł porządnie.

Do Wigilii, tak jak w roku poprzednim, ubrał się w najlepsze ubranie, zawiązał sobie, bez pomocy mamy, najpiękniejszy krawat. Węzeł nie był z pewnością tak zawiązany, jak być powinien, ale w końcu to nie było ważne i Janek postanowił, że nie odezwie się do nikogo ani słowem. Patrzył na pozór obojętnie, jak mama przygotowywała stół. Najchętniej by jej pomógł, gdyby powiedziała chociaż słowo. Nawet nie musiałaby prosić, tylko mogłaby polecić, żeby zrobił to albo tamto, ale jak nie, to nie. Stał i przyglądał się. Było jak co roku. Mama rozsunęła najpierw stół, potem na środku umieściła trochę siana, przykryła stół najpiękniejszym białym obrusem, jaki tylko był w domu. Z kolei na obrusie, w miejscu gdzie leżało siano, położyła opłatek. Ten widok zawsze, co roku, go wzruszał, bo wiedział, co to znaczy: opłatki oznaczają Pana Jezusa, który się narodził na sianie. Ale teraz stał obojętny i patrzył zimny jak głaz. Potem mama rozkładała talerze z pomocą siostry, która podlizywała się mamie jak mogła i była taka uprzejma, że aż się niedobrze robiło z tych słodkości. Gwiazdka na pewno już dawno zaświeciła na ciemnym niebie, ale jakoś nikt nie pamiętał, by wyglądać przez okno. On pamiętał, ale też nie wypatrywał jej. Gdy wieczerza była gotowa, podeszli wszyscy do stołu. Na koniec podszedł i Janek. Tata i mama uklękli przy stole, ta smarkata też uklękła. Uklęknął i on z ociąganiem. Tego bał się najbardziej. Tata zaczął się modlić na głos, potem wszyscy wstali, tata wziął Ewangelię i zaczął czytać o tym, jak to tam wtedy było. Słuchał tego, co znał prawie na pamięć i było mu bardzo smutno. Tak długo czekał na te święta, tak myślał, że może dla niego Pan Jezus się też narodzi, a tymczasem wszystko się pokiełbasiło i to przez tę głupią srokę.

Gdy tatuś skończył czytać, odłożył Ewangelię, schylił się nad stołem, wziął opłatek, podszedł do mamy, zaczął do niej coś mówić. Janek już nie bardzo słyszał, co tam tatuś mówi, tylko patrzył na mamę. Mama najpierw się uśmiechała, ale najwyraźniej z dużym zażenowaniem, a potem do uśmiechu zaczęły dołączać się łzy. Popatrzył na tatę. On był też bardzo wzruszony, ucałował mamę najpierw w rękę, potem w buzię. Janek wiedział, że kolej na niego. Zrozumiał, że dopiero teraz przychodzi moment najgorszy. Tymczasem nagle znalazł się w objęciach mamy i poczuł jak wszystko tamto, co było w jego duszy twarde jak skała, znikło. Zrobiło mu się bardzo żal, że był taki niedobry dla mamy, przytulił się do niej i zaczął płakać jak malutkie dziecko. Słyszał tylko jak przez mgłę słowa mamy: „ty głuptasku" i życzenia jakieś: „żeby był grzeczny i żeby się dobrze uczył". Czuł, że mama wciąż głaszcze go po głowie i najchętniej trwałby tak przytulony do mamy, bo mu było dobrze, a oprócz tego wstydził się: bo jak tu pokazać swoją zapłakaną twarz tatusiowi i siostrze. Ale już znalazł się w ramionach taty, który się tak zachował, jakby niczego nie zauważył, poklepał go po plecach i powiedział jak zwykle:

— Żebyś był dzielnym człowiekiem i żebym ja się nie musiał za ciebie wstydzić.

Janek wciąż miał jeszcze mokre oczy i trudno mu było złapać oddech. Na szczęście przyszła kolej na siostrę, która była zaryczana jeszcze bardziej niż on sam i nie musiał się przed nią niczego wstydzić. Wreszcie trzeba było zasiąść do stołu. Wszyscy udawali, że są bardzo zajęci jedzeniem zupy. Tata nawet pochwalił, że świetna zupa grzybowa, mama z uśmiechem przetykanym łzami odpowiedziała, że to nie świetna zupa grzybowa, najwyżej jest to świetny barszcz, wszyscy się śmiali i udawali, że to ze śmiechu wycierają łzy i było już wszystko bardzo dobrze. Potem było jeszcze jedno danie i jeszcze jedno, i jeszcze jedno — trudno było je zliczyć. Nawet już nie bardzo mógł jeść, ale jadł dalej, choćby dlatego, by ukryć wzruszenie, które wciąż jeszcze nim wstrząsało. Wreszcie pojawił się kompot z suszonych śliwek i to był koniec. Wtedy tata powiedział:

— Janek, baw się w kościelnego i zapal świece.

Wobec tego zaczął zapalać świeczki. Tata zgasił światło i zaczęło się kolędowanie. Janek wziął śpiewnik z kolędami i śpiewał jedną za drugą po kolei, których tylko melodie pamiętał. Siostrzyczka się do niego przytuliła i usiłowała mu wtórować fałszując niemiłosiernie. Całemu śpiewaniu przewodziła mama, która miała śliczny głos. Tata włączał się tylko od czasu do czasu.

Tak mógłby siedzieć do samego rana i kolędować, ale mama stwierdziła, że już pora spać i że jeszcze moment, a Janek z siostrą pospadają z krzeseł jak gruszki z wierzby, bo im tak lecą głowy. Chociaż to nie była prawda, chętnie poszedł się myć, bo jednak w gruncie rzeczy spać mu się chciało. Za chwilę był już w łóżku, które na początku było zimne, pachniało krochmalem i świeżością jak nigdy w ciągu roku. Mama oświadczyła, że Janek z siostrą zostaną w domu, a ona z tatą pójdzie na pasterkę. A przedtem zrobi tylko porządek w kuchni.

Leżał w łóżku i przez uchylone drzwi patrzył na choinkę błyskającą w ciemnościach wszystkimi swoimi wspaniałościami. Było mu dobrze jak nigdy w życiu, tak dobrze, że najchętniej by umarł ze szczęścia. Przymrużył oczy, jak to miał zwyczaj robić. Kolorowe paciorki mrowiły się z góry na dół coraz bardziej, coraz szybciej, wreszcie tyle ich było, że aż stały się całkiem białe — to już nie były paciorki, tylko zawierucha, która wokół niego się kłębiła. Szedł w niej po omacku, ale wcale się nie bał. Chociaż płatki śniegu wirowały wokół niego, wcale nie czuł ani zimna, ani wiatru, ani śniegu na twarzy, było mu dobrze i ciepło. Szedł wciąż naprzód i nie obawiał się, że zbłądzi. Jeszcze mu tego nikt nie mówił, ani on sobie sam też nie, ale wiedział, że idzie do Jezusa, który się narodził w stajni. Nagle znalazł się na drodze w lesie. Las był podobny do parku, gdzie w lecie bawił się, a w zimie chodził czasem z mamą i siostrą na sanki. Były podobne drzewa i krzaki, tylko wszystkie przysypane grubą warstwą śniegu. Chociaż wiedział, że jest noc, to jednak było jasno — chyba od księżyca — a śnieg się skrzył jak diamenty. Nagle znalazł się na skraju jakiejś polany. W głębi niej zobaczył stajenkę. Była podobna do tej, którą budował w czasie Adwentu. Strzecha przywalona śniegiem, nad nią gwiazda z wielkim ogonem. Światło, które padało przez otwarte drzwi i okna, oświecało krzaki i drzewa stojące w pobliżu. Nagle znalazł się wewnątrz szopki. Klęczał na podłodze stajni. Obok siebie spostrzegł klęczącego tatusia i mamusię oraz siostrę, którzy uśmiechali się do niego. Poczuł się tak samo szczęśliwy jak w czasie Wigilii przy składaniu życzeń. Wtedy przypomniał sobie to, co mama mu powiedziała na samym początku Adwentu, że gdy będzie grzeczny, to Pan Jezus narodzi się dla niego. „Czy Jezus narodził się dla mnie także?" Poczuł, że musi spojrzeć w żłobek. „Jezus tam na pewno jest. Tylko czy ja Go zobaczę?" — przeniknął go głęboki niepokój. Ale przecież powinien zobaczyć. „Przecież przeprosiłem mamę, tatę i siostrę. Przecież starałem się być grzeczny podczas Adwentu". Pełen determinacji zdecydował się. Z oczami pełnymi łez podniósł głowę — i ujrzał. Na sianku przykrytym białą chustą było Dzieciątko.

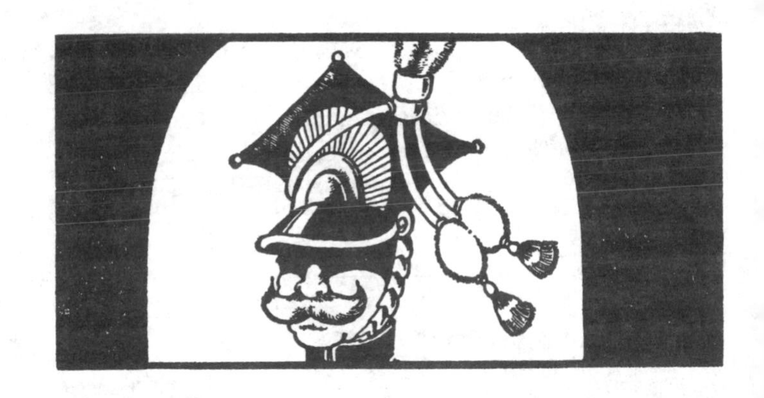

JAKUB MASZERUJE DO NIEBA

Był we wsi stary Jakub. Nazywali go Kuba. Nikt nie znał jego nazwiska. Chyba on sam też nie wiedział, jak się nazywał. Zresztą, mało z ludźmi mówił. Uśmiechał się tylko i tyle. I ludzie się do rozmowy z nim nie garnęli. „Z głupim se nie pogadasz" — tłumaczyli. Pojawił się we wsi nie wiadomo skąd. Zaczął paść krowy. A dobrze pasł, jak rzadko kto. Jak żaden z jego poprzedników. Dużo tych krów miał, ale radził sobie z nimi znakomicie. Jakąś tam mowę do nich znalazł, że chodziły za nim jak owce. Ludzie na niego nie narzekali. Nikomu w drogę nie wchodził, wódki nie pił, nie awanturował się. Można powiedzieć nawet, że lubili go. Wyporządzili mu izbę w starej chałupie za wsią i tam zamieszkał. Schludnie tam miał i czysto.

W jakiś czas przyszła za nim wieść do wsi, że przed wojną Kuba był normalnym człowiekiem, ale podczas wojny czy go przywaliło, czy jakiś pocisk wybuchł koło niego i odtąd coś mu się w głowie poprzestawiało i został „starym Jakubem", a nawet „głupim Jakubem". Niekiedy, gdy szedł przez wieś, dzieci biegały za nim, pokazywały palcami i wołały: „Głupi Jakub!" Ale on im nawet nic nie mówił na to, bo w ogóle niewiele mówił. Uśmiechał się do nich po swojemu i szedł dalej.

Ludzie we wsi mieli mu tylko za złe, że nie chodził do kościoła. W niedzielę rzadko pokazywał się we wsi. Raz go zagadnęli ci, co świętowali niedzielę po Mszy przy budce z piwem:

— Kuba, czemu nie chodzisz do kościoła?

Aż się zdziwili, że się zatrzymał. Przeważnie nie odpowiadał na wszelkie zaczepki, tak jakby był głuchy albo niemowa. Stanął przed nimi ze swoim półgłupim uśmiechem, mrugając oczami, i po chwili wyjąkał:

— Nie mam w czym.

Poczuli się zaskoczeni tą odpowiedzią, a potem zaczęli mu tłumaczyć żartobliwie:

— Przecież pieniędzy masz dość, bo nie pijesz, nie palisz, żony nie masz, która by ci wydawała twoje pieniądze, oszczędzasz. Jest tak? — pytali.

Stał przed nimi uśmiechając się — czy to do nich, czy to do swoich myśli, kto by go tam wiedział. Wreszcie, gdy myśleli, że z siebie już nic nie wydusi, mruknął:

— Ano, tak jest.

No to mówili dalej, podkpiwając z niego:

— Przecież czarne ubranie też masz, bo widzieliśmy, buty masz też, a jak te ci się nie podobają, to możesz sobie kupić jeszcze droższe i piękniejsze. Jest tak? — pytali go.

Znowu im odpowiedział:

— Ano, tak jest.

— No to czemu nie chodzisz do kościoła?

Znowu postał przed nimi z na wpół dobrotliwym, na wpół tępym uśmiechem i powtórzył:

— Nie mam w czym.

Na to zgodnie stwierdzili:

— Z głupim se nie pogadasz. — Odwrócili się od niego do swojego piwa.

On stał tak jeszcze chwilę, jakby im coś chciał wytłumaczyć, posmutniały, z obwisłymi ramionami, a potem zaczął człapać w swoją stronę, coś tam pomrukując.

I tak by chyba historia jego się skończyła i nic by nie było nadzwyczajnego, gdyby nie cyrk, który przyjechał do pobliskiego miasteczka. W niedzielę ludzie ze wsi wybrali się tam gromadnie. Kto mógł, to jechał, kto nie miał czym jechać, to szedł pieszo.

Namówili i starego Jakuba. Poszedł, choć z oporami. Ale wtedy chyba coś w tej starej głowinie widocznie się pokręciło. Jeszcze przed samym przedstawieniem. Gdy zobaczył te wspaniałości, gdy zobaczył te piękne stroje, ubiory, kolorowe światła i migające żarówki, usłyszał tę muzykę, coś się ze starym Jakubem zaczęło źle dziać. Ludzie ze wsi, którzy przy nim siedzieli, zaniepokoili się jego zachowaniem. Kuba patrzył na to wszystko z wybałuszonymi oczami, z otwartymi ustami, na wpół z przerażeniem, na wpół z podziwem. Potem, gdy spektakl się zaczął, zdawało się ludziom, że Kuba zwariował. Śmiał się, klaskał, płakał. Po skończonym przedstawieniu gdzieś się zapodział. Trochę go szukali, a potem zaniechali. Stwierdzili:

— Głupiemu się krzywda nie stanie. A może on już w domu, a my go tu na próżno szukamy.

Potem się okazało, że nie wrócił do wsi wieczorem. Został w cyrku. Niektórzy go widzieli, że z cyrkowcami rozmawiał. Byli tacy, co się podśmiechiwali:

— Może pogromcą zwierząt chce zostać.

Ktoś dodał:

— Jak z krowami sobie daje radę, to i może okiełznać potrafi lwy i tygrysy.

Ale w poniedziałek stary Jakub wrócił do wsi. Spóźnił się tylko nieco do swoich krów. Mówiono, że niósł pod pachą jakieś zawiniątko. Wysłuchał awantury, która czekała go od jego gospodarza, z tym samym uśmiechem i z tym samym milczeniem co zawsze. Potem zabrał się gorliwie do swojej pracy, jak gdyby nigdy nic. Następne dni nie wskazywały, że ma stać się coś nadzwyczajnego. A stało się. W najbliższą niedzielę wieś oniemiała. Drogą do kościoła szedł żołnierz. Kirasjer czy żołnierz napoleoński, mówili ci, co się trochę na ubiorach starych znali. Na głowie wysokie czako z wielką kitą, na czaku orzeł. Czako podpięte pod brodą. Mundur z pięknymi epoletami w złocie, szamerunki srebrne, szarfa przeciągnięta przez piersi, szeroki pas, obcisłe białe spodnie, wysokie czarne buty z ostrogami. Szedł przez wieś drogą do kościoła. Ale szedł, to za słabo powiedziane. Maszerował. Albo jeszcze lepiej: defilował. Wyprężony jak na paradzie wojskowej wyrzucał wysoko nogi przed siebie i bił zajadle w ziemię. Machał rytmicznie rękami. Oczy wpatrzone w dal, nieruchome. Twarz ściągnięta skupieniem. Jakby słyszał jakieś wielkie marsze żołnierskie, wspaniałą muzykę wojskową. Najpierw nie wiedzieli, co to znaczy, kto to jest. Dopiero po chwili ktoś zawołał:

— Przecież to stary Kuba!

Niektórzy jeszcze nie dowierzali, w głowie im się nie mieściło, że ten wspaniały, piękny żołnierz, to jest ten sam Kuba, stary, głupi Jakub.

A on krokiem defiladowym, wysoko podnosząc nogi, brzęcząc ostrogami doszedł do bramy kościelnej, zrobił zwrot pod kątem prostym i wmaszerował do wnętrza kościoła. Tam trzasnął obcasami i stanął pod filarem. Oczy wszystkich w kościele zwróciły się w jego stronę. Przez całą Mszę ludzie wpatrzeni byli w niego jak w obraz święty. A on stał pod filarem wyciągnięty jak struna i tak przestał na baczność do samego błogosławieństwa. Tylko podczas podniesienia ze świstem stali wyszarpnął szablę z pochwy i zasalutował nią trzymając rękojeść przy twarzy. Po podniesieniu schował szablę do pochwy i stał dalej wyprężony pod filarem. Gdy ksiądz na koniec Mszy świętej przeżegnał zebranych krzyżem świętym, Kuba odwrócił się, trzasnął obcasami i przemaszerował przez kościół, a potem drogą do swojego mieszkania.

Odtąd wieś w każdą niedzielę miała podobne widowisko: stary Kuba — pastuch — przeistaczał się we wspaniałego żołnierza, który wyprostowany maszerował do kościoła, by świętować tam swoją niedzielę. Aby od poniedziałku znowu do soboty paść krowy.

Dopiero po jakimś czasie ludzie zorientowali się, że coś się zmieniło w ich wsi. Początkowo nie wiedzieli, na czym ta zmiana polega. Ktoś wreszcie powiedział: „Kuba się zmienił”. Faktycznie, zmienił się. Dalej, jak dawniej, pasł krowy. Ale to nie był ten sam Kuba. Niby się uśmiechał tak jak dawniej. Ale już nikt z niego nie kpił, nawet ci spod budki z piwem.

Ludzie we wsi nie przyznawali się do tego, ale naprawdę to i oni się zmienili. Ze wstydem stwierdzali, że ten przygłupi pastuch lepiej rozumiał niedzielę niż oni.

ROZBITY DZBAN

Zaspał. Nie słyszał pierwszych dzwonów. Poprzedniego dnia znowu długo w noc pracował. Przepisywał teksty z „Summy" św. Tomasza. W nocnej ciszy dochodziło do niego nawoływanie strażników i wybijane kolejno godziny na wieży ratuszowej. Lubił pracować nocą. Zresztą to była dla niego jedyna możliwość. W ciągu dnia, zwłaszcza po południu i wieczorami, wciąż był zajęty jakimiś sprawami ludzkimi, których nie mógł zaniedbywać. Wciąż zachodzili studenci do jego mieszkania znajdującego się na parterze w gmachu uniwersytetu. Zdecydował się na nie świadomie: było małe i niewygodne, ciemne, ale bardzo poręczne dla wszystkich, którzy potrzebowali pomocy. Wśród studentów zgłaszających się do niego z jakimiś dla nich mniej lub więcej ważnymi sprawami, byli tak jego słuchacze, jak i całkiem mu obcy, byli ludzie z Krakowa, z Warszawy, z Gdańska, jak również cudzoziemcy. Sławna teraz wielkimi nazwiskami profesorów Alma Mater Jagiellonica ściągała młodzież nie tylko krajową, ale i z innych państw: z Czech, z Węgier, z księstw Bawarii, Saksonii. Wśród tych rzesz młodych ludzi zdarzali się bogaci, w większości jednak byli to biedni chłopcy. Trafiali się wagabundzi, większość jednak prawdziwie szukała wiedzy. Tak jedni jak i drudzy wymagali opieki, troski, zainteresowania. Stąd musiał bez przerwy radzić, kierować, pouczać, pomagać: wciąż coś załatwiać, pośredniczyć, gwarantować, zaświadczać, nawet i stancje wyszukiwać, pieniądze pożyczać jak i dawać. Ale na koniec był przecież profesorem: musiał się przygotowywać do wykładów. Miał taki swój system wypracowany od lat: przepisywał teksty wielkich teologów. To pomagało mu koncentrować się nad treścią w tych pismach zawartą, a poza tym była i korzyść dodatkowa: mógł potem tych tekstów użyczać — służyć nimi tym, którzy inaczej nie mieliby do nich dostępu.

Zaspał. Dopiero drugie dzwony wyrwały go ze snu. Odziewał się szybko, żeby przyjść na czas do kościoła. Już od lat długich odprawiał Mszę świętą w kościele Św. Anny o szóstej godzinie, a tak proboszcz jak i kościelny nie lubili, jak się księża spóźniali. Gdy wychodził ze swojego mieszkania, zaczęła już dzwonić sygnaturka. Poderwała go do pośpiechu. „Jeszcze tylko pięć minut do rozpoczęcia Mszy świętej". Ulica tonęła w gęstej mgle. Panowała przytłumiona cisza. Nie dochodziły żadne głosy ludzkie, żaden hałas. „Tak to bywa często w Krakowie o tej porze roku, późną jesienią". Ciągnęło zimnym, mokrym powietrzem. „Nie bez powodu mówią przybysze, że tu, w Krakowie, wilgoć w kości wchodzi". On sam był tego dowodem. I jego łamało w taki czas w kościach. Okrył się szczelniej grubą peleryną. Szron w nocy pobielił blanki murów, bruk ulicy. Mróz ściął kałuże. Trzeba było uważać, żeby się nie poślizgnąć. I wtedy usłyszał krótki, urwany okrzyk, a potem trzask rozbijanego naczynia i głuchy stuk upadającego ciała. Zaraz potem wybuchnął płacz. Płacz dziecka. „Coś się stało". Wstrząsnął się przerażony. „Ale o tej wczesnej porze dziecko?" Musiało być ono tuż, w pobliżu, jednak gęsta mgła szczelną zasłoną zamykała pole widzenia. Jeszcze kilka kroków. Najpierw zobaczył dużą białą plamę i skorupy rozbitego dzbana, potem obok klęczącą dziewczynkę, która płakała. Dokładnie na skrzyżowaniu ulicy Jagiellońskiej z ulicą św. Anny. Jeszcze spojrzał na dziewczynkę. Teraz domyślił się wszystkiego. Bardzo młoda, ale już nie dziecko. Biednie ubrana. Tak, jest gdzieś na służbie i chyba niosła mleko od wieśniaków z pobliskiej Krowodrzy, może z przeciwległego Zwierzyńca, spieszyła się, nie spostrzegła lodu, poślizgnęła się, upadła, stłukła dzban z mlekiem. Płacze, bo ją spotka awantura w domu". Znowu go zaatakowała myśl, że już późno, że powinien iść i to jak najszybciej, bo się spóźni na Mszę świętą. Ale przystanął. Jakoś nie mógł tak po prostu przejść. Nie mógł nie okazać współczucia. Nie wiedział, jak ma to uczynić. Nawet w pierwszej chwili chciał sięgnąć do kieszeni, żeby dać dziewczynie pieniądze na dzban i na mleko, ale się wstrzymał, bo rozumiał, że nie o to chodzi. „I cóż z tego, że ona przyniesie państwu, u których służy, pieniądze, i tak zostanie obrugana, że jest niezdara, bo rozbiła dzban, wylała mleko, a przy tym dodatkowo, że jest żebraczka, że wyżebrała u jakiegoś nieznajomego pieniądze". Nachylił się, przyklęknął. Szloch jakby przycichł. Dziewczynka spostrzegła, że nie jest sama. Patrzył na plamę mleka. Czuł się zupełnie bezradny i był przekonany, że każde słowo jest tutaj zbędne, niepotrzebne, byłoby wprost nietaktem. I tak prawie odruchowo, jak to zawsze czynił w rozmaitych trudnych sytuacjach, zaczął się modlić do Boga, by jakoś zaradził na swój Boży sposób, na jaki — to On sam tylko dobrze wie. Wciąż wpatrzony w nieszczęsną plamę mleka zaczął mimo woli, odruchowo zgarniać skorupy, jakby chciał je skleić na powrót. Ale myśl, że już nie zdąży punktualnie wyjść ze Mszą świętą, poderwała go w sposób ostateczny. Pełen jakiegoś wewnętrznego zawstydzenia, że nie jest w stanie przyjść z pomocą, a także, że nie może już dłużej towarzyszyć dziewczynie w tym nieszczęściu i odchodzi do jakichś swoich obowiązków, podniósł się i prawie na wpół biegnąc oddalił się w stronę kościoła. Dziewczynka zauważyła ten jego gwałtowny ruch. Oderwała ręce od oczu i popatrzyła za nieznajomym księdzem, którego współczucie wyczuła, a który teraz z rozwianą peleryną pędził do kościoła. Potem znowu skierowała wzrok na powód swojego płaczu. I wtedy pełna bezbrzeżnego zdziwienia zobaczyła, że na jezdni stoi dzbanek. Jej dzbanek pełen mleka. Jeszcze nie dowierzając własnym oczom wzięła go w ręce, przytuliła do siebie. Tak, to był prawdziwy jej dzbanek. Nie zastanawiając się, jak to się mogło stać, podniosła się i pobiegła w stronę domu.

* * *

Jeżeli to nawet nie jest prawda, tylko legenda, to jakiż musiał być to święty, jak bardzo wrażliwy na ludzką biedę, skoro przypisano mu cud wręcz nieprawdopodobny. Bo któryż ze świętych zrobił cud tak bardzo bez powodu jak on: święty Jan Kanty.

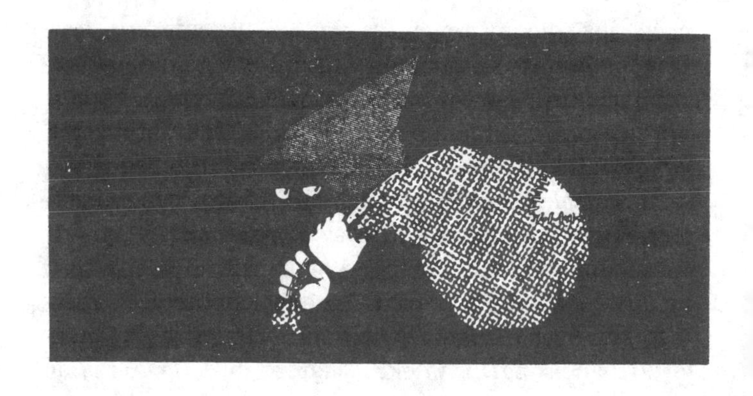

ŚWIĘTY MIKOŁAJ

— Co teraz z nim będzie. Jak on sobie poradzi z tym wielkim majątkiem, który odziedziczył po śmierci swoich rodziców. Należy mu pomóc. Zająć się jego sprawami.

Tak mówiono na przyjęciu, jakie odbyło się po pogrzebie rodziców Mikołaja. Zebrani krewni i przyjaciele domu mieli swoje racje. Mikołaj, chłopiec jedynak, syn bogatych rodziców, utalentowany, zdolny, pilny, pracowity, był bardzo nieśmiały. Całe dnie spędzał ze swoimi nauczycielami. Nie wychodził z domu, nie licząc spacerów po obszernym ogrodzie pałacowym. Żył odcięty od środowiska, zamknięty w świecie nauki. Wystarczali mu najbliżsi, rodzice. Unikał obcych ludzi. Trudność dla niego stanowiło nawet wyjście na ulicę. Gwar ulicy go męczył. Ciążył mu wzrok ciekawskich przechodniów.

Podziękował swoim krewnym za ofiarowaną mu pomoc. Nawet nie dlatego, żeby sam chciał się zajmować prowadzeniem tego ogromnego majątku, którego stał się właścicielem. Ale nie chciał nowych ludzi u siebie. Został w świecie swoich książek, studiów. Umysł szeroki, typowy intelektualista. Troskę nad ziemią, nad majątkiem powierzył zarządcy, który już lata całe pracował u jego rodziców. Pozostawił również starą służbę. Był wśród niej kamerdyner, który był zarazem lokajem podającym mu do stołu. Nie był to zresztą tylko sługa czy też kamerdyner, ale prawie domownik. Opiekował się nim od dziecka. Stary gaduła, który wiedział o wszystkim, co się dzieje w mieście — jedyny kontakt Mikołaja ze światem zewnętrznym.

Czas płynął. W sposobie życia Mikołaja nic się nie zmieniało: pogrążony w księgach czytał, pisał. Aż któregoś dnia, nie wiadomo właściwie dlaczego, zainteresowała go relacja starego sługi. Miasto żyło nowym dramatem. Historia prawie naiwna, jak z kiepskiego romansu, gdyby nie to, że prawdziwa. Jest dziewczyna, którą pokochał chłopiec. I ona go pokochała. Wszystko byłoby dobrze, gdyby nie to, że ona jest biedna, a on jest bogaty. I jego rodzice sprzeciwiają się temu małżeństwu. Ona nie ma wiana, nie ma co wnieść w przyszły swój dom. Była to historia jak głos z zaświata, kontrastujący z tym, czym sam żył. Przyszła natarczywa refleksja: Mam wszystko, czego chcę. Gdzieś obok mnie rozgrywa się tragedia ludzka, spowodowana takim prozaicznym faktem jak brak pieniędzy.

Suma potrzebna dziewczynie była dość znaczna. Nie wiedział jeszcze, co zrobi, ale zaczął myśleć, jak zaradzić tej biedzie. Przy następnym posiłku, tak prawie od niechcenia, dowiedział się od starego sługi o adres dziewczyny. Budował plan działania jakby wbrew sobie, bo nie wiedział, czy starczy mu odwagi, aby go zrealizować. Aż wreszcie poszedł, aby zobaczyć przynajmniej, jak wygląda dom tej biednej dziewczyny. Idąc ulicą dopiero po chwili spostrzegł się, że wcale nie przeszkadzają mu ludzie, że jakoś znikła jego poprzednia nieśmiałość. Po prostu szukał ulicy i domu, gdzie ktoś żyje i cierpi.

To był dom poza miastem. Nic nie wskazywało, że tam ma miejsce jakaś tragedia. Bielały wesoło w słońcu ściany. Stanął w dość znacznej odległości, w cieniu drzewa, oparł się o jego pień. Spod zesuniętego na oczy kaptura patrzył. W ogródku kwitły kwiaty, na grządkach zieleniły się warzywa. Było spokojnie, czysto, schludnie. Nic się nie działo. Przysiadł. Udawał człowieka, który zmęczony zasypia w ciężkim upale dnia. Na drodze ruch był niewielki. Czasem przeszedł wieśniak, poganiający swojego osła. Grupa kobiet wracała z pola. Dzieci bawiły się w jakieś tam swoje gry. Nagle drgnął. Z domu wyszła dziewczyna. To chyba ona — pomyślał. W ręce miała naczynie z bielizną. Rozwieszała ja powoli na rozciągniętych sznurach. Po chwili na drodze pojawił się jeździec. Przed domem ściągnął konia lejcami, zeskoczył. Dziewczyna już zdążyła postawić naczynie z bielizną na ziemi. Biegła w jego kierunku ocierając mokre ręce o fartuch. Powitanie w uśmiechach i łzach radości. Cała wpatrzona i wsłuchana w niego. Wybuchła gorąca rozmowa. Krótkie zdania. Słowa wyrywane sobie nawzajem. I ręce, ręce szukające siebie. I dłonie, dłonie — kwiaty stulone i rozwarte. Jakby cały świat przestał dla nich istnieć. Nagle ich radość się skończyła. Dziewczyna rozpłakała się. Chłopiec usiłował ją pocieszyć. Głaskał po głowie jak dziecko. Potem jej ucieczka do domu i odjazd chłopca. Scena była skończona.

Mikołaj wrócił do swojego domu. Zajrzał do skarbca. Nigdy się nim dotąd zbytnio nie interesował. Przypuszczał, że dysponuje kwotą, która mogłaby stanowić wiano dla tej dziewczyny. I tak też było. Zawinął pieniądze w kawałek sukna. Przewiązał sznurem. Doczekał nocy. Jeszcze wytrzymał aż dom się uciszy, aż pogasną wszystkie światła. Wsadził zawiniątko pod pachę, okręcił się czarną opończą, wsunął kaptur na głowę, otworzył drzwi od swego pokoju, zszedł na palcach po schodach. Starał się całą tę wyprawę traktować jak zabawę, jak grę, ale serce mu się tłukło, nie spodziewał się, że się tak przejmie. Wyszedł na ulicę. Dawno nie wychodził o tej porze do miasta. Świecił księżyc. Było pusto.

Już prawie we wszystkich domach czerniły się prostokąty okien. Szedł szybko, nerwowo. Zdawało mu się, że jest ze wszystkich stron widzialny w tej srebrnej poświacie księżyca. Wykorzystywał cienie budynków i drzew. Szybko przebiegał odcinki nie ocienione. Dłużyła mu się ta droga tym bardziej, że wciąż musiał sprawdzać, czy nie pobłądził. To, co w dzień nie przedstawiało dla niego trudności, teraz w nocy było obce, nieprzyjazne, mylące. Był spocony, gdy doszedł na miejsce. Schronił się w cieniu znajomego drzewa. Dom stał w pełnym blasku księżyca. Zdawało mu się, że jest niemożliwe podejść w takiej sytuacji do okna. Już nasuwała mu się myśl, żeby zrezygnować, poczekać na nów, albo na noc pochmurną. Ale znowu stanęła mu przed oczami scena sprzed kilku godzin, scena z płaczącą dziewczyną. Nie, nie mogę pozwolić, by ona tak cierpiała. Odepchnął się od pnia drzewa, do którego przylgnął, przebył błyskawicznie drogę dzielącą go od domku. Nie potrzebował nawet wspinać się do okna, były nisko osadzone — on był dostatecznie wysoki. Zajrzał do wnętrza izby. Okno na szczęście było tylko przysłonięte kotarą. Odsunął ją. Miał po raz drugi szczęście: łóżko dziewczyny było w zasięgu jego ręki. Przechylił się. Nie bardzo widział miejsce, gdzie by mógł umieścić zawiniątko z pieniędzmi. Delikatnie wsunął je pod poduszkę, na której spoczywała głowa dziewczyny. Jeszcze rozejrzał się do tyłu, czy nikt go nie obserwuje. Ale ulice były puste, pełne blasku księżyca. Oderwał się od parapetu okna i wrócił szybkim krokiem do domu.

Na drugi dzień już przy śniadaniu dowiedział się o wszystkim, co się stało w nocy. Dziewczyna, gdy tylko odkryła skarb pod poduszką, nie omieszkała podzielić się swoją radością z sąsiadami. To już wystarczyło, by natychmiast dowiedziało się o tym całe miasto. Byli tacy, co wątpili. Ci nadmieniali, że może te pieniądze zostały ukradzione, ale ta ewentualność szybko upadła, bo po prostu nie było nikogo okradzionego. Poniektóre niewiasty twierdziły, że był to na pewno anioł z nieba. Nie miały co do tego żadnych wątpliwości. Reszta snuła różne przypuszczenia, choć one wiodły donikąd. Ale przecież to wszystko nieważne, co ludzie mówią. Najważniejsza jest radość dziewczyny, no i chłopca. Tego wszystkiego Mikołaj słuchał przy śniadaniu, zalewany potokiem słów swojego służącego. Myślał sobie, że chyba po raz pierwszy w swoim życiu jest naprawdę bardzo szczęśliwy. Służący informował jeszcze swojego pana, że rodzice chłopca zgadzają się na ślub, tym bardziej, że dopatrują się w tym ręki Boga samego.

— A ty jak myślisz, kto to może być?

Ze starego sługi opadła maska wesołka, poczciwego bajdury i dał odpowiedź jakby już na to pytanie był przygotowany od dawna.

— Myślę, że to nie żaden anioł. Po prostu człowiek, który wypełnia to, czego Pan Jezus uczył —

żeby to, co czynimy dla drugich, czynić naprawdę dla nich, a nie dla siebie. Ludzie tego nie rozumieją. Tak jak nie rozumieli i wtedy. I dlatego tak ich dziwi, że ktoś potrafi się na to zdobyć.

Następne dnie wyciszyły sensację. Przyszły kolejne sprawy, kłopoty i radości miasta. Opowiadał o nich stary gaduła — wiedząc, że w ten sposób jest w stanie rozruszać swego pana. Spośród tych informacji wypłynęła niespodzianie kolejna ludzka tragedia: dzieci sieroty. Zmarła matka, jedyna żywicielka pięciorga dzieci. Drobiazg jeszcze. Najstarsza dziewczynka piętnastoletnia. Reszta za małe, by móc pracować. Opiekują się wspólnie sobą. Zresztą tak jak i wtedy, gdy żyła matka, która pracowała na ich utrzymanie.

— Ale przecież muszą z czegoś żyć? Czy mają krewnych?

— Właśnie ci zastanawiają się, co mają z tym drobiazgiem zrobić. Chcieli je pozabierać pomiędzy siebie, ale dzieci nie chcą się rozdzielić. Najstarsze będzie pracowało, może i chłopiec drugi z kolei także. Za dużo nie zarobią, a tu idzie zima, potrzeba ciepłego odzienia, obuwia, zapasów.

Mikołaj słuchał tego opowiadania. Widział swoją pomoc jako nieodzowną. Ale sytuacja była już skomplikowana. Tu już pieniądze nie wystarczą. Trzeba tym dzieciom dostarczyć gotowych przedmiotów. Jeszcze jakby mimochodem zapytał, gdzie to się wszystko dzieje.

Poszedł tam tego samego dnia. Było to na przedmieściu. W pobliżu, prawie naprzeciw, stała gospoda. Zasiadł w kącie. W gospodzie było pustawo. Chłopiec sprzątał. Zaczepił go:

— Od dawna tu pracujesz?

— Nie, panie, od niedawna.

— Skąd ty jesteś?

— O, z tamtego domu.

A więc udało się. To był ten chłopiec, to był ten dom.

— Mama pozwala ci pracować?

Twarz chłopca zszarzała, w oczach stanęły łzy.

— Mama mi umarła.

— Masz rodzeństwo?

— Tak.

Mikołaj wyciągnął srebrny pieniądz.

— Idź i kup im słodycze.

— Ale ja pracuję.

— Ja cię wytłumaczę przed gospodarzem.

Chłopiec uwinął się szybko. Zaraz też do gospody wpadła trójka dzieci, żeby podziękować nieznanemu dobrodziejowi za figi, orzechy, migdały. Notował w pamięci pilnie ich wzrost.

W międzyczasie nadszedł gospodarz, zadowolony, że trafił się bogaty gość. Przysiadł się do stołu i opowiadał o nieszczęściu. Nie był zdziwiony tym drobnym upominkiem, jaki dzieci otrzymały.

— Często się zdarza, że przychodzi ktoś, żeby jakiś grosz złożyć tym dzieciom. Tak to na początku bywa, gorzej będzie potem, gdy ludzie przyzwyczają się, gdy zapomną.

Mikołaj już tego wszystkiego nie potrzebował słuchać. Chciał wyjść jak najprędzej.

— Dobrze, że chociaż teraz o nich pamiętają — odpowiedział.

— Muszę waszej miłości coś powiedzieć: dobrze, że ludzie rozczulili się nad tym pięciorgiem sierot, ale mało to równie biednych dzieci? Popatrzcie choćby na tę ulicę, na to, co tu się dzieje.

Mikołaj musiał przyznać rację oberżyście. Pod wpływem jego słów jakby przejrzał. Dopiero teraz zobaczył nędzę tamtejszych dzieci. Patrzył na wielkie, obskurne domy czynszowe, na małe, walące się rudery. Zobaczył dzieci bawiące się na ulicy — brudne, byle jak ubrane, obtargane, wygłodzone, chude, szare. Posłyszał głos oberżysty:

— To dzieci pozostawione samym sobie. Rodzice — drobni rzemieślnicy, wyrobnicy, pracujący u kogoś od świtu do nocy.

Mikołaj miał już gotowy plan w głowie. Pojechał na następny dzień. Wziął ze sobą juczne zwierzę. Nie brał żadnego sługi. Zdecydował się na miasto, gdzie był pewny, że go nie rozpoznają. Nakupił ciepłej odzieży. Wybierał starannie, przypominając sobie dzieci, dla których robi zakupy. Potem jeszcze jedzenie. Nie zapomniał o zabawkach, o łakociach. Wpadły mu w oko okrągłe placuszki słodkie, po które szczególnie łapczywie wyciągały ręce dzieci.

Wrócił po dwóch dniach nocą do domu, zmęczony, ale szczęśliwy. Tylko teraz już nie było tak łatwo z dostarczeniem dzieciom tych skarbów. Znowu nie chciał brać służby do pomocy, bo nie chciał nikogo wtajemniczać w to, co robi. Wybrał noc chmurną, bezksiężycową. Worek z podarkami zarzucił na plecy. Przykrył się opończą. Udało mu się niepostrzeżenie dojść na miejsce. Wkładał pospiesznie paczki do okien. Nie mógł się zabrać ze wszystkim naraz. Był przygotowany na to, że gdy dzieci jeszcze w nocy odkryją przyniesione dary i narobią hałasu, będzie musiał zrezygnować z kontynuowania swej akcji w tej dzielnicy. Ale nie, gdy wrócił po raz drugi, zastał wszystko tak, jak było za pierwszym razem. Pracował ciężko całą noc. Prawie aż do świtu roznosił podarunki i powracał do swego domu po następną partię. Był umęczony do granic możliwości. Nad ranem rzucił się na posłanie i spał do południa.

Na wybuch sensacji nie trzeba było długo czekać. Już przy obiedzie jego sługa zasypał go wszelkimi możliwymi wiadomościami, plotkami, które zebrał po mieście. A więc jednak anioł — mówili jedni, a więc... kto to może być — pytali drudzy.

Na drugi dzień wezwał swojego zarządcę, pytał o finanse. Pieniądze były, choć nie tak wiele. Bo zainwestowano w gospodarstwa. W zimowe zapasy, w zasiewy. Zażądał wszystkich, które były.

— Jaśnie panie, jeśli mi wolno spytać, ale przecież jeszcze są te w skarbcu podręcznym.

— Już ich nie ma.

Siedział znowu za stołem w jakiejś kolejnej oberży, na kolejnym przedmieściu. Popijał drobnymi łykami wino, zagryzał migdały, orzechy, zamawiał jakieś drobiazgi u usłużnego gospodarza, patrzył, notował w pamięci domy, dzieci. Stwierdzał po raz któryś, że właściwie wszystkie dzieci są tu biedne, wychudzone, byle jak ubrane, marznące w pochmurny, słotny czas. Dziękował Bogu, że przy okazji szukania pięciu sierot odkrył świat biednych ludzi, biednych dzieci.

Znowu roznosił podarki dla dzieci w kolejnej biednej dzielnicy.

Tymczasem w mieście już wrzało. To już nie była zabawa. To już była nieposkromiona ciekawość, kto to jest ten nieznajomy, względnie kto są ci dobrodzieje. Co poniektórzy usiłowali zsumować rozdawane podarki, przeliczać je na pieniądze. Wychodziły z tego zawrotne sumy. Kogo stać na takie wydatki?

Miasto przeżywało jakby jakieś wielkie rekolekcje. Z tego tylko niektórzy zdali sobie sprawę — z tej zmiany, która się dokonywała w duszach ludzkich. A dokonywała się właśnie pod wpływem tych bezinteresownych darów rozdawanych tak hojnie biednym dzieciom. Zaczęto dostrzegać biedne rodziny, pomagać im, obdarowywać je. Również biednych, starych ludzi, chorych i cierpiących.

Tymczasem pieniądze Mikołaja skończyły się szybciej niż sam przypuszczał. Jego kolejna wyprawa po zakupy pochłonęła prawie wszystkie oszczędności. Mikołaj zażądał od swojego gospodarza pieniędzy.

— Już nie mamy więcej.

— A więc proszę sprzedawać grunt.

— Tak, ale to potrwa.

— Weź pożyczkę.

— Wysokie procenty.

— Bierz na wysokie procenty. Dużo, dużo. I oszczędzaj bardziej. Ja nie muszę jeść wykwintnie jak dotąd. Nie zakupuj dla mnie żadnych nowych szat.

Miał już opracowany system: najpierw dość długa obserwacja kolejnej dzielnicy, potem roznoszenie nocne. Wiedział, że może sobie pozwolić tylko na jedną noc. W następną już ludzie czyhali na niego. Wobec tego zmieniał dzielnice. Przerzucał się z jednego końca miasta na drugi. Pracował jak nigdy w życiu: ciągłe wyprawy po zakupy, nocne powroty z podróży, potem z kolei roznoszenie prezentów, ciągłe napięcie nerwów, wytężona uwaga odbiły się na jego wyglądzie. Schudł i był wyraźnie zmęczony. Obiecywał sobie, że odpocznie, że powróci do swoich książek, jak tylko w jakiś sposób zabezpieczy dzieci na zimę.

Tymczasem wśród nobliwych mieszczan, wśród arystokracji miasta rozchodziły się coraz to bardziej nieprawdopodobne plotki o Mikołaju. Szeptano, mówiono, głoszono, że ten dotąd spokojny i zrównoważony człowiek popadł w jakąś namiętność. Żyje rozpustnie albo oddaje się jakimś hazardowym grom. Jego nocne wyjazdy już nie były tajemnicą. Jego wygląd niewątpliwie świadczy, że ten człowiek jest na dnie upadku. Dowodem na to jest zresztą nie tylko jego wygląd, ale fakt, że wyprzedaje swoje ziemie, zaciąga długi na wysokie procenty. Trwoni majątek, który odziedziczył po swoich, godnej pamięci, przodkach.

Zdecydowano się wobec tego ratować Mikołaja. W tak rzadko dotąd odwiedzanym domu pojawili się krewni i przyjaciele rodziny Mikołaja. Musiał ich przyjmować, wysłuchiwać rad, wykręcać się od natrętnych pytań. Niecierpliwiła go ta strata czasu. Jego goście wreszcie orzekli, że Mikołaj stanowi rzadki przypadek zatwardziałości serca i jest nie do nawrócenia. Jedynym wyjściem jest się odciąć od niego, ostrzegać innych przed kontaktem z nim. Tylko ta droga może przyprowadzić Mikołaja do opamiętania. I modlić się za niego.

Z czasem plotki o Mikołaju, które powtarzano w salonach pałaców i bogatych izbach mieszczańskich kamienic, wyszły na ulicę, pomiędzy gawiedź miejską. Opowiadano sobie nieprawdopodobne bzdury o potworze Mikołaju, diable wcielonym, opętanym, obłąkanym, nie mogącym spać, tłukącym się po nocach w swoim ogromnym pałacu.

Dochodziły te wieści do Mikołaja. Donosił mu o nich również stary sługa, ale w bardzo złagodzonej formie. Mówił od siebie niby mimochodem, że Pana Jezusa ludzie zabili, choć tyle dobrego im uczynił.

A tymczasem Mikołaj miał inne, cięższe kłopoty. Bywało, że o mało co a zostałby odkryty. Stał się jeszcze bardziej ostrożny, uważał na każde kolejne pociągnięcie.

Równocześnie miasto wciąż szumiało wiadomościami o Aniele Dobroci. Dla dzieci obdarowanych — radość, dla ich rodziców — pomoc. Dobry nieznajomy — anioł z nieba, jak upierali się niektórzy — stał się kimś bliskim w ich życiu. Byli i tacy, którzy go już widzieli w kapuzie, z garbem worka na plecach.

Matki groziły nieposłusznym dzieciom:

— Jak będziesz niegrzeczny, nie przyjdzie do ciebie święty. Nie dostaniesz nic. Tylko dzieci grzeczne obdarowuje Pan Bóg. Niegrzeczne porwie diabeł do zamku, zamknie w lochu, wychłoszcze rózgą.

Ale to nie była prawda. Obdarowywani byli wszyscy, wcześniej czy później.

Aż się stało. Aż doszło do katastrofy. Zatupotała ulica odgłosami kroków. Rzucił się w drugą stronę. Stamtąd też słychać było kroki, rozległy się wołania:

— Tu jest! Mamy go!

Pozostawała ostatnia uliczka, ale i stamtąd nadbiegły głosy. Nie było wyjścia. W mroku ujrzał wielką bramę budynku. Pchnął ją. Na szczęście była otwarta. Wpadł w nią. Pusta, wielka sień zabrzmiała echem pościgu. Wiódł rękami po ścianie. Natrafił na drzwi. Na szczęście też otwarte. Wpadł, zatrzasnął drzwi za sobą. Znalazł się w jakimś ciemnym pomieszczeniu. Znowu gwałtowne poszukiwanie kolejnych drzwi: otwarte, nacisnął klamkę, wpadł do oświetlonego pomieszczenia. Oślepiony światłem stanął, oparł się o drzwi, dyszał ciężko, rozglądał się po wnętrzu. Wielka biblioteka, przy biurku stary, siwy człowiek patrzący na niego ze zdziwieniem. Jakby skądś go sobie przypominał. Sam nie wiedział skąd. Nadsłuchiwał pilnie. Trzasnęły drzwi. Zadudniły kroki ścigających. Podbiegł do starego człowieka:

— Ukryj mnie.

— O, Mikołaj. Dużo ja tu słyszę o tobie.

Teraz dopiero zobaczył, że to jest biskup. Teraz sobie dopiero uświadomił, że wpadł do rezydencji biskupa. Ludzie byli tuż za drzwiami. Kroki, krzyki, rozległo się pukanie. Nieśmiałe, ale stanowcze. Przypadł do nóg biskupa. Schował się za jego biurko.

Otworzyły się drzwi. W nich ukazał się stłoczony tłum ludzi. Ucichli. Ktoś zapytał:

— Czy ksiądz biskup widział człowieka w czarnej opończy?

Mikołaj schowany za biurkiem czekał na odpowiedź jak na wyrok śmierci.

— O kogo pytacie? O szatana z zamku?

— Nie. O człowieka, który od miesięcy obdarowuje nasze biedne dzieci podarunkami.

— Ach, to chodzi wam o tego — jak go nazywacie — Anioła Dobroci.

— Tak. Właśnie napotkaliśmy go, w czarnej opończy, z kapturem na głowie, z workiem na plecach.

— To macie go tutaj.

Biskup schylił się:

— Wstawaj, wstawaj. Nie ma rady.

Mikołaj z oporami dźwignął się na nogi. Z ramion zsunął mu się prawie pusty worek. Zapomniał o tym, że wciąż go miał na sobie. Na podłogę potoczyły się z niego bułeczki, tak dobrze znane dzieciom całego miasta.

— Mikołaj! — ktoś zakrzyknął.

— Mikołaj — powtórzył ktoś drugi.

Jeszcze nie dowierzając podchodzili do niego, by się przekonać, czy to naprawdę on. Przyglądali się, jeszcze wciąż niepewnie, jego pelerynie, kapuzie, jego workowi i jemu samemu, który zawstydzony i zmieszany, ze spuszczoną głową i ze spuszczonymi oczami stał pod ścianą. To ten, o którym bezlitosna plotka głosiła, że rozpustnik, hazardzista, utracjusz, który marnotrawi majątek swoich rodziców, który niegodny jest nosić ich imię.

Tej scenie przyglądał się w milczeniu stary biskup. Aż wreszcie zabrał głos. Uśmiechnięty, pogodny zaczął:

— Moi drodzy, szukałem długo następcy, bo wiem, że już jestem stary. Chcę odpocząć. Wreszcie go znalazłem. Macie mojego następcę, będzie waszym biskupem — powiedział, wskazując na Mikołaja.

ŚWIĘTY MIKOŁAJ PRZYCHODZI RAZ W ROKU

Janek postanowił sobie już od dawna, że musi zobaczyć świętego Mikołaja. Nie mówił o tym nikomu w domu. Żeby go nie wyśmiali. Przecież w zeszłym roku też tak postanawiał i w poprzednim też, i jak dotąd nic z tych postanowień nie wynikło. Za każdym razem wcześniej czy później usypiał. Ale tym razem miało być już całkiem inaczej. Nawet — jak to się rzadko tylko zdarzało — poszedł po obiedzie do łóżka. Mama się zdziwiła:

— Czyś ty nie chory?

— Nie.

Na wszelki wypadek dotknęła ręką jego czoła. Rozpalone nie było. Jeszcze się chciała upewnić. Posłużyła się swoją najpewniejszą metodą — ucałowała go delikatnie w czoło i już uspokojona oświadczyła:

— Nie, nie masz gorączki. Ale jak chcesz, możesz się położyć.

Położył się. Długo nie mógł zasnąć. Odzwyczaił się przecież. W końcu uśpiła go miękka poduszka i ciepła kołdra, śnieg padający cicho za oknem i półmrok, w którym był pokój pogrążony.

Obudził się prawie natychmiast po zaśnięciu — przynajmniej tak mu się zdawało. Choć mama mówiła, że spał ponad godzinę. Ucieszył się tą wiadomością. To go tylko jeszcze bardziej upewniło, że plan, jaki sobie w głowie ułożył, musi się udać. Doczekał bez trudu do kolacji. Cały czas porządkował — zgodnie z planem — swoje półki.

— Skąd ciebie tak nagle wzięło na sprzątanie — dziwił się tatuś. — Nawet nie wiesz, jakiego masz syna porządnisia — mówił do mamy.

Ale Janek był pewny, że tatuś tylko tak sobie z niego żartuje. Jakby mógł nie wiedzieć, dlaczego Janek sprząta. Przecież to wszystko na przyjście świętego Mikołaja. On przychodzi do mnie i zastaje bałagan i nieporządek wśród moich rzeczy. Spać poszedł prawie ostatni. Nawet mama go usprawiedliwiała przed tatą:

— Nie dziw się. Spał po południu, to mu się nie spieszy teraz do łóżka.

Wreszcie położył się. Zastosował metodę, którą sobie od dawna obmyślił: pozostawił uchylone drzwi do przedpokoju, w którym się świeciło. Mama szła spać ostatnia i zgasiła światło. Ale Janek po chwili wstał, zapalił je znowu i wrócił prędziutko do łóżka. Nie włączał swojej lampki nocnej, bo bał się, że święty Mikołaj mógłby do niego nie przyjść. Uważał, że święty Mikołaj przychodzi tylko do dzieci śpiących. Może to nie była całkiem prawda, ale wolał nie ryzykować. Nawet parę dni wcześniej okrężną drogą usiłował się wywiedzieć od mamy czy święty Mikołaj wchodzi do pokoju dzieci, w którym się pali światło, ale nie dogadali się. Mama nie zrozumiała, o co mu chodzi, a on zbyt wyraźnie nie chciał o tym mówić. Wobec tego pozostawił tylko światło w przedpokoju. To była gwarancja, że nie zaśnie. I faktycznie. Metoda była dobra. Nie zasypiał. Leżał w łóżku z wysoko ustawioną poduszką pod głową i patrzył w jasny, wąziutki złoty pasek.

Już sobie od dawna umyślił, co powie świętemu Mikołajowi. Powtarzał to sobie po wiele razy. Żeby niczego nie zapomnieć. Teraz mówił to znowu. Nie w myślach ale naprawdę, choć cichutko, szeptem, żeby nikt tego nie słyszał — nawet mama. Chyba zanim zacznę mówić, to powinienem wstać. A może uklęknąć? Bo jakże inaczej można przemawiać do świętego. A potem zacznę mówić. Święty Mikołaju, bardzo cię kocham. Bardziej tylko Pana Jezusa i Matkę Jego. Chyba ci nie jest przykro. Bo i ty na pewno najbardziej kochasz Pana Jezusa i Najświętszą Marię. Ale ciebie kocham zaraz po nich.

Tylko nie myśl sobie, proszę, że cię kocham za to, że przynosisz mi co roku prezenty. Ale za to, że przynosisz prezenty wszystkim dzieciom. Przecież mógłbyś sobie spokojnie siedzieć w niebie jak inni święci. A ty tyle się trudzisz, żeby sprawić dzieciom radość. A więc kocham cię i przyrzekam ci, że będę lepszy dla mamy, żeby przeze mnie nigdy nie była smutna, a tym bardziej, żeby przeze mnie nie płakała. Dla tatusia, żeby się przeze mnie nigdy nie złościł. Przyrzekam, że będę przychodził punktualnie do szkoły i nie będę się wiercił w ławce. Ani nie będę chodził po klasie. Ani nie będę rozmawiał niepotrzebnie z kolegami. Bo czasem potrzebnie, trzeba coś powiedzieć. I że będę wracał ze szkoły do domu prosto, tak jak mama mówi. Z wyjątkiem, gdy trzeba coś załatwić, albo odprowadzić kolegę, gdy nie ma innego wyjścia. I jeszcze ci przyrzekam, święty Mikołaju, że będę mówił porządnie pacierz rano i wieczór, bez przypominania mamy.

Słyszał, jak zegar wybił pełną godzinę, potem pół godziny. Potem kolejną godzinę. To był sukces. Nigdy jeszcze chyba, gdy był zdrowy, nie potrafił czuwać pełną godzinę. Gdy był zdrowy. No, bo gdy chorował, wtedy było to rozmaicie. Wtedy nawet, gdy chciał zasnąć, to nie mógł. Bolała go głowa, pocił się, paliła go kołdra, włosy miał zlepione od potu, piekły go oczy i nie mógł przełykać, tak go bolało gardło. Ale teraz był zdrowy i nie spał. Czekał na świętego Mikołaja.

Najbardziej był ciekawy, jak on wygląda. Nawet nie — co on przyniesie. Czy podobny jest do tych Mikołajów, którzy wycięci z papieru, celofanu, plastyku śmiali się z wystaw sklepowych do dzieci. Czy podobny do tych, którzy przychodzili do przedszkola, ażeby rozdawać dzieciom podarki. Choć udawał, że w nich wierzy, to przecież wiedział, że to są przebrani mikołajowie. W którymś roku rozpoznał na pewno w świętym Mikołaju pana od starszaków, choć był bardzo dokładnie przebrany. Jak więc wygląda prawdziwy święty Mikołaj

Wybiło następne pół godziny. To chyba już wpół do dwunastej. To już blisko. Ale te pół godziny okazały się najtrudniejsze. Całkiem nagle poczuł, że mu się naprawdę chce spać. Nigdy chyba nie miał tak ciężkich powiek jak teraz. Same się zamykały. Dźwigał je z największym trudem. Mówił sobie: Nie mogę zamknąć oczu, bo zasnę. Ale pokusa była zbyt wielka. Tylko na chwileczkę. Na malutką chwileczkę zamknę oczy. Nie będę spał. Nie będę spał. Nie będę spał. Tylko zamknę oczy, bo nie mogę już powiek utrzymać, takie są ciężkie. Zamknął. Za chwilę usłyszał dwunastą, ale to nie był ich zegar. To był jakiś wspaniały dzwon, który dźwięczał jak najcudowniejsza muzyka. I wtedy stało się. Wąziutki pasek światła, w który się dotąd wpatrywał, nagle się zamienił w morze jasności. Jego pokój wypełnił się złocistym powietrzem. Ale czy to był jeszcze jego pokój? Sufit gdzieś uleciał. Ściany zniknęły. W stronę jego łóżka płynęła chmura aniołów. Byli jeszcze daleko, widział ich jeszcze niewyraźnie, ale przecież już odróżniał ich białe, leciutkie jak mgła skrzydła, ich aureolą otoczone twarze, ich suknie. Biel i złoto, srebro i czerwień przechodząca w pomarańczowy. Górą błękit. Wszystkie kolory tęczy. I narastający śpiew. Dopiero po chwili Janek zauważył, że zbliża się do niego nie tylko światło ale i muzyka. To był śpiew chórów anielskich. Patrzył z szeroko otwartymi oczami i był najszczęśliwszym człowiekiem na świecie. Serce mu się tak tłukło, że aż trudno mu było oddychać. Obłok aniołów był coraz bliżej. Widział ich twarze — piękne, radosne, uśmiechnięte — coraz wyraźniej. Powoli rozdzielali się, zostawiając środkiem wolne przejście. I nagle pojawił się w nim święty Mikołaj. Wcale nie płynął, jak orszak aniołów, ale szedł zamaszystym, wesołym krokiem. Szedł wysoki, uśmiechnięty biskup. Że to był biskup, łatwo można było poznać. Miał na głowie infułę, taką jak Janek widział na głowie Papieża. Ubrany był w szatę przypominającą ornat, w którym Papież odprawia Mszę świętą. W ręce prawej miał pastorał biskupi na górze zakręcony. Ale to wszystko nie było najważniejsze. Najważniejsza była twarz, uśmiechnięta twarz ze śmiejącymi się oczami. Choć była okolona białymi jak śnieg włosami, brodą i wąsami, to przecież była młoda. Święty Mikołaj szedł, wyraźnie uśmiechając się do niego. Towarzyszyli mu dwaj aniołowie. Nieśli kosze prezentów. Święty Mikołaj zbliżał się coraz bardziej. Już był całkiem blisko. Zwrócił się w stronę kosza z podarunkami, wybrał jedną dużą białą paczkę przewiązaną niebieską wstążką i położył na poduszce obok głowy Janka. Janek zobaczył świętego Mikołaja prawie na wyciągnięcie ręki, gdy ten kładł obok niego na poduszce pakunek. Potem jeszcze poczuł na swoim czole jego pocałunek i znak krzyża, który święty Mikołaj uczynił mu, podobnie jak codziennie robił to tatuś. I usłyszał jedno jedyne krótkie zdanie powiedziane tylko troszkę głośniej niż szeptem:

— Bądź dobry.

Oczy Janka napełniły się łzami. Sam nie wiedział, dlaczego. Czy przez te słowa? Święty Mikołaj już odchodził. Jeszcze tylko chwilę widział jego infułę wśród tłumu aniołów. Janek tak bardzo chciał, żeby on jeszcze wrócił choć na moment, albo żeby się przynajmniej zatrzymał, żeby nie odchodził. Pragnął mu powiedzieć, że chce być dobry, ale mu nie zawsze to wychodzi, czasem o tym zapomni, a czasem mu się po prostu nie chce uczyć, a czasem się zezłości na to, że mama taka uparta, a czasem go coś skusi, żeby zrobić na przekór. Ale naprawdę to chce być dobry. Chóry anielskie wciąż śpiewały. Muzyka wypełniała wciąż wraz ze złotym światłem całą przestrzeń. Dopiero teraz Janek przypomniał sobie, że nie powiedział świętemu Mikołajowi tego wszystkiego, co sobie od dawna ułożył. Ale szeregi anielskie, które się rozstąpiły na przyjście świętego Mikołaja, teraz powoli się zamykały i cofały się, ginęły, gasły, cichły. Jeszcze chwilę trwała poświata fioletowo-złota, ale potem i ona zgasła. Zapadła ciemność.

Nagle zaskrzypiały drzwi. Wąziutki pasek światła wolno się poszerzał. Ktoś wchodził do pokoju. Janek pomyślał, że może jakiś anioł coś zapomniał. A może sam święty Mikołaj wrócił, żeby wysłuchać tego, co Janek chciał mu powiedzieć. Ale nie, to był tatuś Janka. Szedł w swojej zwyczajnej piżamie i płaszczu kąpielowym, który Janek dobrze znał. W porównaniu ze wspaniałymi szatami świętego Mikołaja tatuś wyglądał jak zwykły wróbelek przy pięknym pawiu, albo jak mała polna myszka przy wspaniałym lwie. Nie było muzyki tysiąca organów ani żadnych chórów anielskich. Tatuś szedł sam. Nie było żadnej jasności w kolorze tęczy. W pokoju było ciemno. Tatuś szedł ostrożnie, na palcach, najwyraźniej dlatego, aby Janka nie zbudzić. W rękach miał paczkę — ani nie taką dużą, ani nie taką błyszczącą, jaką przyniósł mu święty Mikołaj. Janek przymknął oczy, udawał, że śpi. Usłyszał, że tatuś kładzie ją na poduszce koło jego głowy. Chciał mu wytłumaczyć, że nie potrzeba, przecież święty Mikołaj przyniósł mu już jedną. Może tatuś się bał, że święty Mikołaj ominie jego pokój. Przez to światło w przedpokoju. Jeszcze wciąż nie odchodził. Delikatnymi ruchami utykał kołdrę pod jego szyją i przy nogach. Janek poczuł delikatny pocałunek na swoim czole i znaczek krzyża uczyniony palcem. Usłyszał — jak co dzień — cichutko wypowiedziane dwa słowa:

— Bądź dobry.

I nagle w Janku coś się zawaliło. Nagle odkrył, że tatusia sto razy bardziej kocha niż świętego Mikołaja. Już nie chciał prezentu od świętego Mikołaja, chociażby nie wiem jakie tam były wspaniałości, a tylko od tatusia. Nie mógłby ścierpieć, żeby tatusiowi zrobiło się przykro. Zaczął prosić tak gwałtownie, jak wtedy, gdy mu na czymś szalenie zależało: „Święty Mikołaju, nie gniewaj się na mnie, proszę. Ale weź tę paczkę. Daj jakiemuś dziecku, które nie ma tatusia". Choć nie wiedział sam dlaczego, poczuł, jak spod jego wciąż zamkniętych powiek płyną łzy, spływają po skroniach i wpadają w poduszkę. Był tak szczęśliwy, że zasnął, zanim tatuś wyszedł z pokoju.

KUTERNOGA

Nazywali go Kuternogą, ponieważ utykał na jedną nogę, i to utykał dość znacznie. Czy to była heine-medina czy też inna choroba, trudno powiedzieć, nikt się na tym za bardzo nie znał. Gdy oddawali go do szpitala, żyła jeszcze matka. Potem, gdy wyszedł ze szpitala, matki już nie było, przygarnęła go jakaś litościwa ciotka, ale właściwie bardziej ciotka niż litościwa. Po prostu dla porządku, tak się należało, wobec tego zgodziła się, ażeby u niej zamieszkał. I zamieszkał. Nie miał zawodu, nie ukończył żadnej szkoły. Nie nadawał się do ciężkiej pracy, bo był fizycznie słaby, do lekkiej pracy też się nie nadawał, właśnie z powodu braku wykształcenia. Wobec tego przyłączył się do takich, którzy szukają pracy.

Pracował dorywczo to tu, to tam. Nie był zdrowy. Szybko się męczył. Łatwo zapadał na zdrowiu. W miarę, jak go ktoś potrzebował, w miarę gdy trzeba było coś załatwić, brali go do roboty. Znał swoją dzielnicę. Znała go cała dzielnica. Mieli do niego zaufanie, bo był uczciwy. Razu pewnego w sąsiedniej dzielnicy pojawił się nowy człowiek. To była dziewczyna, która stała w rogu pomiędzy kamienicami i śpiewała. Zauważył ją ze zdziwieniem. Dosyć to wyglądało zabawnie, szokująco wręcz. Kuternoga był bardziej nieśmiały niżby się zdawało. Tym bardziej się też zdziwił, że ktoś może mieć tę odwagę, by stać na ulicy i śpiewać. Zainteresował się dziewczyną, przybliżył się, i wtedy się okazało, że ona jest niewidoma. To śpiewanie było niegłośne, nie wzbudzało zbyt wielkiego zaciekawienia przechodniów. Przyglądał się jej jakiś czas. Chwilami dziewczyna stała i nie śpiewała. Bo, jak się okazało, jej drugim zajęciem, a właściwie chyba głównym zajęciem, było sprzedawanie kwiatów, które powiązane w małe bukieciki tkwiły w koszu stojącym przed nią. A śpiewanie to sobie chyba ona sama wymyśliła. Do takiego wniosku doszedł Kuternoga obserwując ją w ciągu najbliższych paru dni. Była mała, drobna, niepozorna, kiepsko ubrana, szczupła, jakby wygłodzona, wymizerowana. Po paru dniach podszedł do niej. Zagadał. Odezwała się uprzejmie. Przyglądnął się jej bliżej. Wtedy dopiero zauważył, że nie była taka brzydka, jakby się zdawało na pierwszy rzut oka. Że miała inteligentne rysy twarzy. Zaczął jej tłumaczyć, że tak się nie śpiewa, że tak nie powinna śpiewać, że nie trzeba śpiewać tylko smutnych piosenek, trzeba śpiewać również i radosne, że trzeba śpiewać głośniej, że trzeba się uśmiechać. Objaśniał jej tak, jakby się na tym bardzo znał. Trochę się znał, bo chodził do teatru, nawet do opery, jak tylko mógł, jak tylko zdobył jakieś pieniądze. Miał wyczulone ucho na głos. Poznał, że dziewczyna jest obdarzona chyba talentem i to nie byle jakim. Nie fałszowała, śpiewała czysto, z dużym wyczuciem taktu, a przy tym jakaś była w tym śpiewaniu swobodna. Oczywiście, nie był to głos wyszkolony, ale jak mogło być inaczej. Zaproponował jej, że będą razem robili przedstawienia. Zgodziła się na to, nie wiedząc zresztą, co on zamierza. No a on zaczął robić teatr. Kupił gdzieś jakiś stary bębenek. Wybijał z jego pomocą takt, gdy dziewczyna śpiewała, a gdy kończyła, zbierał do niego pieniądze. Zapowiadał, jaka będzie następna piosenka, jeżeli wiedział, kto ją napisał, dodawał i te szczegóły. Zawsze się gromadziła wokół nich jakaś grupa przechodniów, ciekawskich, którzy się przysłuchiwali krócej czy dłużej, dawali datki albo nie i szli dalej.

W tym właśnie czasie miało miejsce inne wydarzenie, które odegrało w jego życiu ważną rolę. Wracał do domu już nocą. Właśnie po jakimś przedstawieniu teatralnym. I nagle przed jakąś restauracją wytoczył się na niego zapóźniony gość, którego kelner wyprowadzał na ulicę. Człowiek ten był pijany i nie miał zamiaru wychodzić. Kelner uprzejmie ale stanowczo wypraszał go z lokalu, tłumacząc, że już pora zamykać restaurację, i on musi ją opuścić. Tamten upierał się, że pójdzie, gdy się jeszcze napije. Po krótkim przekomarzaniu się kelner w końcu postawił go pod ścianą i odszedł. Tamten zsunął się po murze i został tak na chodniku w pozycji półleżącej. Temu wszystkiemu przyglądał się Kuternoga. Gdy zobaczył, że restaurację faktycznie zamknięto i człowiek pijany został na ulicy, zrobiło mu się trochę go żal. Pomyślał, że przecież nie można pozwolić, aby ten człowiek całą noc spędził na dworze, nie mówiąc już o tym, że mogą się trafić ludzie, którzy zainteresują się nim i obrabują go, albo nawet pokaleczą czy zabiją. Podszedł do niego i próbował nawiązać z nim rozmowę.

— Gdzie pan mieszka?

— Ja jeszcze muszę się napić — powtarzał tamten z uporem pijaka.

— Gdzie pan mieszka? Gdzie mam pana odwieźć?

Ale rozmowa była właściwie już skończona, bo pijany po prostu zasnął. Kuternoga niewiele myśląc zaczął przeszukiwać jego kieszenie chcąc znaleźć jakiś ślad, który by go naprowadził na adres tego człowieka. Natrafił na portfel. Wyciągnął z wewnętrznej kieszeni i ku swojemu zdumieniu zobaczył, że portfel jest pełen pieniędzy. Znalazł również jakąś kartę ubezpieczeniową, gdzie był wypisany adres. Gdy przyjechała wolna taksówka, zawołał ją, zawiózł pijanego pod znaleziony adres, zadzwonił, wprowadził do wnętrza, wyszła służąca, oddał swojego podopiecznego w jej ręce, zaznaczył, że ten ma pieniądze w portfelu i odszedł. Był jednak ciekawy dalszego ciągu tego wydarzenia. Na drugi dzień w godzinach wieczornych przyszedł do tej restauracji, mając niejaką nadzieję, że może tam dowie się czegoś bliższego o wczorajszym wydarzeniu. I faktycznie zobaczył tego człowieka, jak rozmawiał z kelnerem. Gdy ten zauważył Kuternogę, wskazał na niego i powiedział:

— To właśnie ten chłopiec pana odwiózł wczoraj do domu.

Człowiek zawołał Kuternogę. Gdy ten podszedł do niego, zaczął mu jowialnie dziękować za to, że nim się zaopiekował i zaproponował mu:

— Ja lubię, jak się tydzień kończy, napić się czegoś. Wobec tego robimy umowę. Ty mnie zawsze w piątek wieczorem stąd będziesz odbierał i dostarczysz mnie do domu, a ja ci dam zawsze za to parę groszy.

I na tym stanęło. Gdy się kończył tydzień, Kuternoga pojawiał się w restauracji, napotykał tego człowieka już dobrze wstawionego, odwoził go do domu. Za to następnego dnia, względnie przy najbliższej okazji, otrzymywał jakieś wynagrodzenie.

Było to jedno z rozlicznych zajęć Kuternogi. Komuś tam kupował rano świeże bułki w jakimś specjalnym sklepie, innemu przynosił obiad do domu. Komu innemu lekarstwo. Albo strzygł trawę w ogródku. Wszystko to jednak stanowiło teraz jakiś daleki margines jego życia, bo najważniejszą sprawą dla niego była nowo poznana dziewczyna. Przywiązał się do niej. Polubił ją. Lubił przebywać w jej towarzystwie, rozmawiać z nią, dyskutować, żartować, przekomarzać się. Trochę czuł się w roli starszego brata, który już dużo więcej niż ona w swoim życiu widział, słyszał, przeżył. Trochę traktował ją jak dziecko, żartował z jej naiwności, braku doświadczenia, niepraktyczności, braku znajomości życia. To wszystko działo się na ulicy przy sprzedawaniu jej kwiatków, w przerwach pomiędzy jednym a drugim ich występem artystycznym. Cieszył się na każdy następny dzień, na każde z nią spotkanie. W końcu musiał stwierdzić, że jest w niej zakochany. Nigdy, nigdy nie kochał żadnej dziewczyny. Słyszał o tym, że można być zakochanym, że można kogoś pokochać, piosenki o tym opowiadały, filmy to pokazywały. Ale on tego uczucia nigdy jeszcze nie zaznał. Nikomu o tym nie mówił. Przechowywał tę miłość w sobie jak najdroższy skarb. Nikt nawet nie wiedział, że chodzi do tej niewidomej dziewczyny. Nigdy nie pojawił się z nią w swojej dzielnicy.

Kiedyś przy okazji spytał się dziewczyny:

— Co z twoimi oczami jest? Odkąd ty jesteś niewidoma?

Okazało się, że jako dziecko widziała, ale potem zapadła na jakąś chorobę i w miarę upływu czasu straciła wzrok.

— Byłaś u lekarza?

— Tak, byłam u lekarza i wtedy była szansa, ażeby jeszcze wzrok mój uratować, ale trzeba było jechać daleko stąd, do specjalisty który mógłby się podjąć tej operacji, ale wynik nie był stuprocentowy. A więc po pierwsze rzecz to kosztowna, po drugie bardzo ryzykowna, po trzecie... po trzecie wymaga długiego leżenia w szpitalu.

— To czemuś się tego nie podjęła?

— Matka bała się ryzyka, a właściwie to brakowało pieniędzy. Byłam tym wszystkim zrozpaczona — dodała. — Myślałam, że popełnię samobójstwo.

Udał, że tego nie dosłyszał.

— No, a czy teraz można by było taką operację podjąć?

Dziewczyna tego nie wiedziała.

— No to idź do lekarza, niech cię przebadają, czy jest szansa.

— A po co. Przecież i tak tych pieniędzy nie będę miała. Po co się łudzić.

Kuternoga nalegał, upierał się przy tym.

— Lepiej wiedzieć niż nie wiedzieć.

Wreszcie doprowadził do tego, że zgodziła się na to. Zaprowadził ją do lekarza, który ją przebadał. Czekał w poczekalni na nią w napięciu. Potem, gdy wyszła zmęczona poszczególnymi badaniami, zostawił ją w poczekalni, a sam udał się na rozmowę z lekarzem. Czekał na diagnozę jak na wyrok.

— Jest możliwe wyleczenie?

Jak się okazało, faktycznie w dalszym ciągu ta możliwość istnieje, tylko wciąż pod tymi samymi warunkami. Mianowicie: jest ryzyko, że się operacja może nie udać, po drugie — operacja jest kosztowna, po trzecie — leczenie pooperacyjne żmudne: bez ruchu trzeba będzie leżeć całymi tygodniami. Nawet przy udanej operacji na tym końcowym etapie grozi niebezpieczeństwo utraty wzroku.

Wszystko to, co Kuternoga sprawdzał, nie było bez powodu. Wiedział, że trzeba dziewczynie pomóc. Po pierwsze, ona musi mieć oczy. A po drugie musi się uczyć. To zresztą jej kładł w głowę.

— Masz talent, masz głos, ale to wszystko nie wystarczy. Musisz się uczyć.

Ciągle sprawa jej przyszłości rozbijała się jednak o to samo. Nie ma oczu, nie ma wykształcenia, nie ma pieniędzy i na jedno i na drugie.

W miarę jak pogłębiała się w nim miłość ku tej dziewczynie, zdawał sobie równocześnie coraz bardziej sprawę, że ta jego miłość nie ma zupełnie żadnych szans. Małżeństwo po prostu nie ma sensu. On jest biedny, bezdomny. I jeszcze w dodatku kaleka. Ona jest też biedna, ale przecież ma talent. Przed nią stoi otworem duża kariera. A małżeństwo z nim może jej szanse całkiem przekreślić. Co do tego był najgłębiej przekonany. Ale chciał coś dla niej zrobić.

Coś najlepszego. Co mogłoby jej życie ustawić tak, jak ono być powinno ustawione. Bo ją bardzo kochał. I przyszło mu właśnie do głowy rozwiązanie. Razu pewnego, gdy jak zwyczajnie z końcem tygodnia odwoził swojego klienta do domu, stwierdził — tak jak to zresztą robił za każdym razem — że ten ma dużo pieniędzy ze sobą. Pieniądze zabrał. Do jego kieszeni wsadził pusty portfel i odwiózł swojego podopiecznego jak zwykle do jego domu. Teraz wszystko musiało polegać na szybkim działaniu. Na drugi dzień rano wziął pieniądze ze sobą. Zobaczył z daleka dziewczynę. Stała w tym samym miejscu gdzie zawsze. Podszedł do niej szybkim krokiem i powiedział:

— Wygrałem los.

Starał się, ażeby głos jego był podniecony, radosny.

— Mam duże pieniądze — powtórzył.

Zobaczył najpierw zaskoczenie, potem niedowierzanie na jej twarzy.

— Naprawdę, tak. I w związku z tym muszę wyjechać. Zaproponowali mi ważną sprawę. Mamy otworzyć nowy interes, ale nie tu, tylko daleko stąd. Chyba będę tam musiał zostać całe życie.

Na jej twarzy wciąż uczucia zmieniały się. Niedowierzanie przemieniło się w radość, w szczęście wprost.

— Weź mnie ze sobą.

— Nie, ja cię nie mogę zabrać ze sobą, bo... bo po prostu tak się układa, że muszę być sam.

— Dokąd chcesz jechać?

— Nie mogę ci tego powiedzieć. Zastrzegli sobie, że nikomu nie mogę tego powiedzieć.

— Kto?

— Też nie mogę ci powiedzieć.

Zobaczył niepokój, prawie przerażenie na jej twarzy.

— Może to nieprawda, co mówisz. Może ty kłamiesz.

— Nie, właśnie że nie. Na dowód, że nie kłamię, chcę ci zostawić trochę pieniędzy i masz robić tak, jak ci powiedziałem. Masz iść do lekarza, masz się wyleczyć a potem masz się uczyć śpiewu.

— Nie, ja nie chcę żadnych pieniędzy.

— Weź, dla mnie to jest drobiazg, gdy mam tyle pieniędzy. To zresztą nie jest tak dużo. Ale jak będziesz oszczędnie starała się tym gospodarzyć, to może wystarczyć ci na wszystko. Ja już muszę iść. Przepraszam cię. Przebacz mi. Może się jeszcze kiedyś zobaczymy.

Uścisnął ją, pocałował i natychmiast odbiegł, chociaż wiedział, że to jest ostatnie spotkanie.

Wieczorem został zaaresztowany. Przyznał się, że pieniądze zabrał. Gdzie ma, co z nimi zrobił, nie powie. Sąd skazał go na pięć lat więzienia. Te pięć lat, które spędził w więzieniu, właściwie miały jedną tylko treść. Czy był sens? Czy ona te pieniądze wykorzystała? Jeżeli tak, mówił sobie wciąż — cóż to jest te pięć lat mojego kiepskiego życia. Roznosiłbym bułki, strzygł trawę, robił zakupy, tak jak dotąd przez tyle lat. A przynajmniej ona ma ustawione życie. Jeżeli tylko mnie posłuchała.

Po pięciu latach, gdy wyszedł z więzienia, jeszcze w tym samym dniu, gdy został wypuszczony na wolność, zaszedł tam, w to miejsce, gdzie zawsze stała jego dziewczyna. Szedł z bijącym sercem. — A może stoi tak jak dawniej. A może czeka na mnie. A może będzie znowu tak, jak było poprzednio. — Nie. Dziewczyny nie było. Zaszedł do dozorcy domu. Ten nie bardzo miał ochotę z nim rozmawiać. W końcu potrafił przełamać jego nieufność.

— Od dawna już jej tutaj nie ma?

— Tej ślepej z kwiatkami?

— Tak.

— Już dawno. Już kilka lat.

— Ile? Pięć?

— Będzie z pięć.

— A co się stało?

— Kto tam wie, co się z włóczęgami dzieje. Raz są tu, raz tam.

— A gdzie ona mieszkała?

— Skądże ja mam wiedzieć — oburzył się stróż. — Co mnie ona może obchodzić?

Dopiero teraz Kuternoga uświadomił sobie, że nie znał nigdy ani jej nazwiska, ani jej adresu. Sprawa była beznadziejna. Zrezygnował. Wrócił do siebie Wrócił do swojego domu. Ciotka już nie żyła, zamieszkał w swoim mieszkaniu sam. Trochę się pozmieniało w jego dzielnicy. Jedni kumple się porozjeżdżali. Niektórzy nawet nie wiedzieli o tym, że był w więzieniu. Myśleli, że gdzieś wyjechał. Niektórzy nawet nie zauważyli, że nie było go przez te parę lat. Spotykali się z nim i witali się tak, jak gdyby to było wczoraj. Dnie jego toczyły się tak jak dawniej. Na dorywczych pracach, na dorywczych zajęciach. Wreszcie jego najmilszym zajęciem były — jak dawniej — teatry, kina, opery. Lubił muzykę jak dawniej, ale teraz zachodził do opery, do teatru również dlatego, że myślał sobie, marzył: — A może ona też już gdzieś, kiedyś śpiewa. Pięć lat. To powinna być dawno po szkole.

I tak płynął czas. Razu pewnego późnym wieczorem przechodził koło opery. Już było po skończeniu przedstawienia, ludzie wychodzili, podjeżdżały samochody przed bramę wyjściową. Jakoś instynktownie wszedł na schody, podszedł do góry, do drzwi głównych, zajrzał przez szyby. W hallu stała grupa ludzi. Przyglądnął się im. Parę kobiet, paru mężczyzn. Śmiali się, rozmawiali. Tyłem do niego odwrócona stała chyba najważniejsza osoba. Kobieta, szczupła, wysoka, bardzo ładnie ubrana, trzymająca ogromny bukiet kwiatów. I naraz zwróciła się do kogoś z rozmawiających i zobaczył ją z profilu. To była jego dziewczyna, to była jego niewidoma śpiewaczka. Skamieniał. Radość, obłędna radość prawie że go sparaliżowała. Zaraz potem napłynęła fala podniecenia. Jeszcze nie wiedział, co zrobić. Czuł, że musi coś zrobić, że musi do niej podejść, że musi ją zobaczyć — że musi zobaczyć jej oczy. Nie wiedział, jak to zrobić. Spojrzał po sobie. Miał jak zwyczajnie rozczłapane brudne buty, pomięte spodnie i jakąś tam marynarkę na sobie. — W końcu to nieważne. Tylko jak to zrobić, żeby znaleźć jakiś pretekst. — Nagle spostrzegł obok kwiaciarkę. Porwał jej kwiat z kosza. Wygrzebywał w najwyższym pośpiechu z kieszeni jakąś monetę, wepchnął jej w dłoń i wszedł do wnętrza. Podszedł do rozmawiających, ale przystanał bezradny, przy ich szczelnie zamkniętym kręgu. Wciąż jej nie widział, schowanej poza murem ramion. Oni go nie zauważyli. Rozmawiali beztrosko, od czasu do czasu wybuchając śmiechem. Dochodziły do niego poszczególne słowa, a nawet zdania, ale on nie rozumiał ich znaczenia, nie wiedział, co oznaczają. Obszedł krąg ludzi, ustawił się naprzeciw niej. Poprzez lukę pomiędzy dwoma głowami dwóch niewielkich kobiet wreszcie ją zobaczył. Tak, to była ona. Nie pomylił się. Była taka jak wtedy, dawniej, chociaż całkiem inna. Nawet nie mógł odpowiedzieć sobie na pytanie, w czym ta jej inność tkwi. Ale zaraz to odkrył. Nigdy nie była chyba tak radosna jak teraz, taka swobodna, wolna, pewna siebie. A poza tym była teraz chyba piękniejsza, młodsza. Ślicznie ułożone włosy, świeża cera, długa czarna suknia przetykana srebrem i to morze kwiatów, pięknych kwiatów, w których tonęła jej twarz. Ona wciąż go nie dostrzegała, a on stał wciąż wpatrzony w nią i chciałby tak tkwić jak najdłużej. Ale nagle wyczuł, że rytm rozmowy się zmienił. Kuternoga spostrzegł, że jego dziewczyna chce już odejść i zaczyna się żegnać. Jakby się obudził ze snu. Ogarnęła go panika. Przeląkł się, że ona odejdzie, zniknie mu z oczu i znowu będą płynąć dnie, miesiące i lata na jej poszukiwaniu. Jakimś rozpaczliwym ruchem przebił się przez krąg ludzi, który ją otaczał, wszedł do środka i stanął przed nią oko w oko ze swoim kwiatem w ręku. Umilkła nagle rozmowa i śmiech. Zapanowała cisza. Zgromadzeni patrzyli ze zdziwieniem, z zainteresowaniem, z oburzeniem na włóczęgę z kwiatkiem w dłoni, który niespodziewanie wyrósł w ich kręgu. I ona go spostrzegła. Wreszcie zobaczył jej oczy. Były piękne: ciemne, głębokie, niczym nie przypominające tamtych pustych oczu pozbawionych wyrazu. Wciąż patrzył w jej oczy. Nie poznała go. Bał się tego, ale w gruncie rzeczy te obawy były bezpodstawne. No bo jak mogłaby go poznać. Najwyżej po głosie. A wiedział, że nie powie ani słowa. Nie czuł tego, że sytuacja nieprzyjemnie się przeciąga. Dziewczyna patrzyła wciąż na niego trochę zdziwiona, trochę zaniepokojona, trochę rozbawiona, trochę zażenowana: jakiś obdartus z kwiatem. Czy jej wielbiciel, czy żebrak. Ludzie otaczający ich zaczęli się niecierpliwić. Zaczęli szeptać pomiędzy sobą. Już dość tego. Przyszedł z kwiatem, niech go już w końcu wręczy i idzie sobie swoją drogą, a niech nie przeszkadza, w końcu wszystko ma swoje granice, nawet natręctwo. Niektórzy rozglądali się za portierem, który by tego człowieka mógł stąd wyprowadzić. Kuternoga wreszcie zauważył to zaniepokojenie. Ocknął się jak ze snu. Spostrzegł, że już czas najwyższy, żeby odejść. Podszedł do dziewczyny jeszcze dwa kroki. Podał jej kwiat. Ona odebrała podany kwiat. Kuternoga wiedział, że teraz trzeba natychmiast odejść. Ale nie mógł zapanować nad sobą. Wiedział, że to już ostatni raz, że jej już nigdy z tak bliska nie zobaczy. Zatrzymał się, patrząc wciąż w jej oczy. To był tylko moment. Ale o ten właśnie moment za długo. Natychmiast pożałował swojego nieopanowania. Ujrzał na jej twarzy pomieszanie. Teraz ona najwyraźniej nie wiedziała, jak ma wobec niego postąpić: może on jednak oczekuje od niej jakiejś jałmużny. Dość nieporadnie sięgnęła do swojej torebki zawieszonej na ręce. Kuternoga spostrzegł ten ruch. Poderwał się jak uderzony biczem. Odwrócił się gwałtownie, rozepchnął pierścień otaczających ludzi i zaczął się szybko oddalać w kierunku bramy wyjściowej. Wszyscy byli wpatrzeni w niego, wciąż nie rozumiejąc jego sposobu zachowania się. W tej ciszy, która zapadła, łomotał odgłos jego kulejących kroków odbijanych przez ściany pustego hallu jak uderzenia młota. I wtedy go poznała. W pierwszej chwili jeszcze nie wiedziała, skąd zna ten sposób chodzenia. Ale to trwało tylko chwilkę. Bo już za moment pamięć przyniosła jej osobę Kuternogi, którego kroków tyle razy nadsłuchiwała, gdy sprzedając kwiatki stała wtulona w załamanie murów czekając na niego. Tak, to były jego kroki. Ale wciąż jeszcze nie mogła uwierzyć, że ten włóczęga to może być Kuternoga. Wciąż nie mogła połączyć tych dwóch doznań. Wciąż nie była w stanie uwierzyć, że to jest możliwe. Przecież Kuternoga — chłopiec, który ją porzucił dla zrobienia majątku, jest bogatym człowiekiem, miała na to dowód: pieniądze, którymi została obdarowana, które umożliwiły jej leczenie, kształcenie się, którym zawdzięcza tę karierę, jaką osiągnęła. Szukała go wciąż, przynajmniej po to, by mu wyrazić wdzięczność, przynajmniej po to, by mu pokazać, że go nie zawiodła, że usłuchała jego rad, nakazów, poleceń. Te wszystkie myśli kłębiły się jej w głowie teraz, kiedy odgłos ostatnich kulawych kroków jeszcze tłukł się echem w marmurowym hallu. Patrzyła zmartwiała na kołyszące się jeszcze drzwi, które zamknęły się za nim, i nie miała wątpliwości: to był on, to był Kuternoga. Swojemu słuchowi zawsze wierzyła i nigdy się na nim nie zawiodła. Stała wciąż zmartwiała nie mogąc wydobyć z siebie głosu, nie mogąc uczynić żadnego kroku. Trzeba pobiec, zawołać go, żeby wrócił, żeby został. Trzeba natychmiast, bo jak nie teraz, to już nigdy. On odejdzie na zawsze i nie pojawi się nigdy więcej, a ona nie znajdzie go nigdy. Przecież nie zna nawet jego prawdziwego imienia. Obudziła się jak z letargu, szukając pomocy rozglądnęła się po otaczających ją ludziach, mężczyznach, kobietach wytwornie ubranych, świetnie wychowanych, bogatych, interesujących, którzy zabezpieczają jej powodzenie i karierę, którzy głoszą pomiędzy swoimi przyjaciółmi jej wielkość. Zobaczyła dziennikarzy, wydawców, redaktorów, publicystów. I nagle uświadomiła sobie ryzykowność takiego kroku. Już widziała swoje zdjęcie z Kuternogą na pierwszych stronach gazet. Już widziała wielkie tytuły: „Kuternoga dobroczyńcą wielkiej śpiewaczki", „Wyjaśniona tajemnica wielkiej kariery". Nie, nie, tego nie potrafiłaby znieść. Tego nie chciała. Nie takich sensacji oczekiwała. — A może nawet, gdyby to nie zaszkodziło mojej karierze, to co ja miałabym z nim tutaj robić w takim towarzystwie. Najwyraźniej pozostał takim, jakim był. Być może wciąż, tak jak dawniej, dobrym chłopcem, ale włóczęgą. To byłaby dla mnie sytuacja wciąż niewygodna, krępująca, przeszkadzająca, absorbująca. Nie, to nie miałoby sensu. Na takie ekscesy ja nie mogę sobie pozwolić. — Tymczasem oni zasypywali ją swoimi troskliwymi pytaniami:

— Coś się stało? Jakaś przykrość, jakieś nieporozumienie, jakiś szantaż? Czy zawołać policję, aby tego włóczęgę aresztowała? Czy może pani zasłabła?

Słuchała tych słów z wdzięcznością. One potwierdzały jej przekonanie, powziętą decyzję. Odpowiedziała przepraszając:

— Ach, nie, nic. Bardzo przepraszam. Chwilowa niedyspozycja. Jakieś wspomnienie. Kiedyś podobnego chłopca uratowałam od śmierci samobójczej. Ale to było dawno. I to nie ten, na pewno nie ten, tylko bardzo do niego podobny.

OSTATNI ZAKONNIK

Był ostatnim zakonnikiem swojego klasztoru. Z tą myślą zbudził się, czy też został zbudzony. Zaraz też automat łóżkowy zaczął z nim wyprawiać codzienną gimnastykę. Nigdy nie lubił tego i wciąż nie mógł się do tego przyzwyczaić. Ale ponieważ elektroniczny lekarz to nakazał, poddawał się tej porannej torturze z upartą cierpliwością. Potem już mógł iść do łazienki — jeżeli to można było nazwać słowem „iść" — był już zdolny do poruszania się. Tam młóciły go strumienie wody zimnej i ciepłej, zaprogramowane również przez komputer lekarski. Świeża bielizna dostarczona przez windę z podziemnej pralni leżała przygotowana. W czasie ubierania się jeszcze usiłował sobie uświadomić, czy zamówił śniadanie. Bo chociaż wieczorem przypominał mu o tym zegar, ale bywało, że jakoś przeoczył jego dopominanie się i wtedy czekało go standardowe śniadanie, którego nie cierpiał. Posiłek był ciepły i świeży, jakby co dopiero przez kucharza ze świeżych potraw przygotowywany, ale przecież miał ten prawie niedostrzegalny brak pełnego smaku i zapachu, który pamiętał z dawnych lat. Z bardzo dawnych lat, kiedy to żył i pracował jeszcze brat kucharz, przygotowujący naprawdę smaczne posiłki.

Znowu opanowała go myśl, że jest ostatnim z zakonników w tym ogromnym klasztorze. Miał powody, żeby się dziwić. Przecież wcale nie był najmłodszy. Stąd też nigdy nie przypuszczał, że on będzie musiał podejmować ostatnie decyzje. Jak to się stało, sam nie wiedział. Od dawna nie uczestniczył we wspólnych Mszach świętych i we wspólnych posiłkach, ze względu na zły stan swego zdrowia. Przychodziły jakieś zawiadomienia i nekrologi podawane przez wewnętrzny dalekopis. Ale ich nie czytał. Podawała je również wewnętrzna telewizja, ale jej także nie oglądał. Przynajmniej ostatnio. A teraz ten czerwony guzik, który zaczął się świecić od pewnego czasu. Początkowo nie uwierzył. Myślał, że to pomyłka komputera. Polecił komputerowi awaryjnemu — albo, jak go nazywał, brygadzie remontowej — sprawdzić funkcjonowanie komputera informacyjnego. Ale wynik był zawsze ten sam. Wobec tego podjął się szaleńczej wyprawy. Dowlókł się do fotela. Nacisnął guziki umieszczone w oparciu i ruszył. Wyjechał z pokoju na ogromny korytarz klasztorny. Przejeżdżał obok drzwi prowadzących do kolejnych cel, nad którymi widniały jeszcze dawne nazwy: a to Bruno z Kwerfurtu, a to Beda Venerabilis. Teraz pozamykanych. Martwych. Przeszperał cały klasztor w poszukiwaniu żywego człowieka, ale wciąż nadaremnie. Jechał korytarzami, dzwonił do kolejnych cel, sal, gdy się nie doczekiwał zaproszenia do wejścia, otwierał drzwi za pomocą ogólnego elektronicznego klucza. Wszędzie zastawał to samo — uporządkowane, czyste wnętrza, sprzątane przez automatyczne odkurzacze i kompletnie puste. Swoją podróż przez klasztor tak zaprogramował, by przyjechać do kościoła w czasie konwentualnej Mszy świętej, do refektarza — w czasie rannego posiłku. Nie było nikogo. Wszędzie przerażająca cisza. — Czy cały świat umarł, a tylko ja zostałem przy życiu? — Okna przeciwhałasowe nie wpuszczały żadnego dźwięku do wnętrza klasztoru. — Czy na zewnątrz są jeszcze ludzie, czy miasto żyje? — Wrócił do celi. Nacisnął włączniki radiowe. Nie. Radiostacje nadawały muzykę, jakieś audycje. Ale w nim powstało już podejrzenie, że może to wszystko jest z lodówki, tak jak jego posiłki, i podawane zgodnie z wcześniejszym zaprogramowaniem.

Do jego obowiązku jako ostatniego zakonnika i właściciela należało podjęcie decyzji: do kogo klasztor i wszystko, co stanowiło własność klasztoru, ma przynależeć. Przeglądał wielokrotnie propozycje, które mu zostały przekazane. Wystarczało nacisnąć guzik. Wtedy operacje prawnicze dotyczące przekazania własności na rzecz spadkobiercy zostałyby przeprowadzone według już z góry zaprogramowanego schematu. Zaprogramowanego przez komputer prawniczy cieszący się sławą jednego z najlepszych. Oprócz rubryk proponowanych była jeszcze jedna rubryka, która pozostawała do dowolnej jego decyzji. Ale wiedział, że z niej nigdy nie skorzysta. Nie miał wyrobionego zdania. Myśl, że ma podjąć ten ważny krok, męczyła go. Nie chciał o tym myśleć.

Zabrał się do czytania Pisma świętego, co przewidywała reguła, co codziennie robił i co bardzo lubił. Długi czas nie rezygnował z tradycyjnego czytania „z książki", choć gdy zwierzył się z tego jednemu z współbraci, spotkał się ze spojrzeniem pełnym politowania. Ale musiał z tej formy zrezygnować. Po prostu jego wzrok stawał się coraz to słabszy. Stąd też przeszedł na mikrofilmy: na wyświetlanie tekstu Pisma świętego na ścianę z mikrofilmu, który wypożyczył z klasztornej mikrofilmoteki. Powiększał obraz do wielkości całej ściany i czytał sobie powoli. Ale z biegiem czasu i z tego musiał zrezygnować ze względu na oczy i przeszedł na słuchanie tekstu Pisma świętego. Miał najróżniejsze możliwości, ale najbardziej polubił teksty dialogowane. Wszystko w nich było tak jak naprawdę. Szumiał wiatr, śpiewały ptaszki. Jezus mówił przypowieści głosem prawie prawdziwym. Odpowiadali uczniowie, faryzeusze. Zamykał najchętniej oczy i słuchał. Czasem wyłączał taśmę. Zamiast żeby odpowiadali uczniowie, sam odpowiadał na pytania Jezusa tekstami, które znał na pamięć prawie. Ale nigdy nie odważał się odpowiadać w imieniu faryzeuszy. Może to strach, żeby się w nich nie zamienić, a przynajmniej do nich nie upodobnić. Jezus chodził po Palestynie, a on z Nim. Znowu nie był ostatnim zakonnikiem w klasztorze, ale był młodym, silnym, pełnym zapału, dobrych chęci, postanowień chłopcem. Znowu chciał żyć jak Jezus, nawracać ludzi tak jak Jezus na drogę prawdy i miłości poprzez swoją dobroć. Aparat się wyłączył. Czas przeznaczony na czytanie Pisma świętego minął. Ocknął się. Był w swojej celi, w której świecił się ustawicznie guzik czerwonym, przenikliwym światłem. Ostatni zakonnik klasztoru.

Nagle zapragnął wyjść na świeże powietrze. Tak to nazywał, choć to nie była prawda, wcale nie było takie świeże. Zjechał swoim fotelem do windy i nią na dół. Potem przez drzwi do wirydarza klasztornego. Znalazł się na polu. Ogarnął go ostry chłód. Poczuł się inaczej. Płuca przyzwyczajone do klimatyzowanego wnętrza zareagowały prawie bólem. Serce zaczęło intensywnie pracować. Rozglądał się. Dawno tu nie był. Wiosna. Rozpoznawał ścieżkę prowadzącą wzdłuż murów, po której przed wielu laty spacerował wraz ze swoimi braćmi zakonnikami.

Nagle jego wzrok ciągnący się po ścianach klasztoru zatrzymał się na bramie wiodącej w głąb dawnej kuchni. Nad nią umieszczony był krzyż. Teraz spostrzegł przyczepioną do niego jaskółkę. W pierwszej chwili nie wiedział, co to jest: ta czarna plama Ale w końcu zorientował się, że to właśnie jaskółka przyczepiona do muru, z lekko drgającymi skrzydłami. Za moment się oderwała i śmignęła w górę. Dopiero teraz spostrzegł rozpoczętą budowę gniazdka. Ptak znalazł sobie miejsce pomiędzy krzyżem a ścianą i tam lepił gniazdko — zresztą jedyne miejsce na tych ogromnych płaszczyznach ścian zbudowanych ze szkła i plastyku. Jakoś ucieszył się wewnętrznie. Z początku nie wiedział sam dlaczego, ale zaraz uświadomił to sobie: po prostu nie był sam. Byli razem.

Poczuł chłód. Nie mógł być dłużej na dworze. Miał za lekkie ubranie. Wrócił do swojej celi pełen jakiejś radości, energii, inicjatywy. Pomrukiwał sobie i podśpiewywał od czasu do czasu.

Na drugi dzień, gdy się obudził, poczuł, że lekko boli go gardło. Podłączył się do automatycznego lekarza. Nie lubił tego, może by w innym wypadku nawet na te objawy nie zareagował, ale teraz przeląkł się, że może się rozchorować. Przywiązał sobie taśmy do obu nadgarstków. Badanie trwało kilka sekund. Za chwilę już dalekopis wystukał mu diagnozę, przepisywał lekarstwa i polecał sposób postępowania. Przeglądnął pobieżnie tekst. Diagnoza choroby była krótka ale skomplikowana. Nie wchodził w szczegóły. Wystarczyło mu stwierdzenie, że jest to początek anginy. Na końcu spisu lekarstw widniała uwaga — jak zwykle, dla porządku — „Lekarstwa będą podawane do posiłków". Zalecenie brzmiało między innymi: „Nie należy wychodzić na dwór". Tego się bał najwięcej i natychmiast wewnętrznie się zbuntował: — „Nie zgadzam się, żeby mi została odebrana ta drobna przyjemność. Jedyna od bardzo dawna. Zresztą — dodał na usprawiedliwienie — nasz lekarz zawsze jest «na wyrost» ostrożny. Nie trzeba go koniecznie od razu słuchać". — Postanowił odczekać, kiedy przyjdzie południe i na polu będzie cieplej. Potem, gdy z największym umartwieniem doczekał do 12 godziny, prędziutko kazał się swojemu fotelowi zwieźć na podwórko. Ale okazało się, że zapomniał o jednym: fotel był podłączony do automatycznego lekarza i był posłuszny tylko do drzwi: na pole nie wyjechał. Usiłował majstrować coś przy rozmaitych przyciskach umieszczonych w poręczy fotela, ale na próżno. Zezłoszczony wstał i powlókł się do drzwi, otworzył je, wyszedł na podworzec. Ta krótka droga kosztowała go dużo wysiłku. Oparł się ciężko o ścianę i dyszał. Chłodne wiosenne powietrze wtargnęło do jego płuc jak strumień zimnej wody i zabolało w oskrzelach. Porwał go nagły, ostry kaszel. Zachłysnął się jeszcze głębiej przejmującym chłodem, ale nie rezygnował. Powoli uspokajał się.

Oczami znalazł krzyż i wpatrywał się w niego ciekawie. Jaskółki nie było. Może się spłoszyła jego wczorajszym nagłym wtargnięciem w jej spokojny obszar. Ale chyba nie. Wydawało mu się, że żółta plama gliny za krzyżem powiększyła się. Nagle pojawił się ptak. Przywarł do krzyża i tak chwilkę trwał. Za moment znowu oderwał się i odleciał. Odprowadził go wzrokiem, podziwiając szybki, zgrabny lot. Ucieszony tym stwierdzeniem, że jaskółka buduje sobie swoje gniazdko, że naprawdę nie będzie już sam, oderwał się od ściany i sunąc rękami po jej plastykowej, gładkiej powierzchni doczłapał do fotela. Opadł nań ciężko. Był zmęczony. Nakazał powrót i chyba w drodze się zdrzemnął, bo ocknął się dopiero w celi, gdy znajdował się w pozycji wyjściowej fotela: przed biurkiem. Ale nie miał zamiaru odpoczywać. Był pełen radości i inicjatywy, tak jak i wczoraj. Pełen chęci działania.

Nagle zapłonęło światełko nad: „obcy człowiek na terenie domu". W chwilę potem powinien się włączyć automatyczny policjant, ale powstrzymał go. Prawie że się ucieszył, że ktoś oprócz jaskółki pojawił się w ich — w jego — domu. Zażądał telewizyjnego obrazu. Zobaczył intruza. Był to młody człowiek w wieku około 20 lat, bardzo zwyczajnie ubrany. Szedł korytarzem rozglądając się ciekawie. — „Po co on tu przyszedł, czego szuka?" — Kamery telewizyjne bez przerwy ukazywały go. Zatrzymał się przed drzwiami biblioteki. Wszedł do wnętrza. Odnalazł katalog i wystukał żądany tytuł. A więc chce jakąś książkę. Nie powinien jej otrzymać. Biblioteka nie była publiczna; przeznaczona do użytku wewnętrznego. Ostatni Zakonnik dał polecenie wydania książki. Był ciekawy, co on chce wypożyczyć. Zażądał zbliżenia, odczytał wystukany tytuł: „Kwiatki św. Franciszka z Asyżu". Tymczasem już uruchomiony transporter dostarczył chłopcu książkę. Ten wziął ją. Przeszedł do czytelni i zaczął czytać. Ostatni Zakonnik polecił swojemu fotelowi, żeby go zawiózł do czytelni. Za moment był na dole. Nagle rozmyślił się. Wrócił do celi. — „Nie. Po co mam mu przeszkadzać. Niech sobie spokojnie czyta".

Niby zajmował się nadal swoimi sprawami, ale monitoru nie wyłączał. Chłopiec wciąż czytał, czasem uśmiechał się do siebie. Nie czytał długo. Wyszedł z biblioteki z książką pod pachą i poszedł korytarzem dalej. Nie korzystał z taśmy transportującej, tylko szedł pieszo, jakimś lekkim, radosnym krokiem. Ostatni Zakonnik był coraz bardziej zaciekawiony tym, dokąd udaje się ten chłopiec. Tymczasem on przeszedł budynek do końca, wyszedł na kolejny dziedziniec. — „Ach tak, chce zobaczyć nasz skansen franciszkański". — Był on też przeznaczony wyłącznie do użytku wewnętrznego. Ostatni Zakonnik polecił wpuścić tam chłopca. Chłopiec wszedł do skansenu i już się nie spieszył. Tak jakby osiągnął cel wędrówki. Oglądał dawne puste cele, wystygłą kuchnię, piec opalany drzewem i węglem, w refektarzu proste, metalowe talerze, stojące na drewnianych stołach. Usiadł na ławie drewnianej bez oparcia. Podszedł do pulpitu, gdzie leżało Pismo święte, odczytywane w czasie posiłków, Martyrologium i Reguła św. Franciszka.

Ostatni Zakonnik myślał, że to oglądanie skończy się szybko. Cóż tam jeszcze może być takiego ciekawego. Tymczasem wyglądało na to, że sprawa dopiero zaczyna się. Chłopiec wrócił do jednej z cel, zdjął swoje ubranie, wsadził na siebie zwyczajny worek dawnego habitu wiszący tam w szafie i zabrał się do pracy. Wyszedł na podwórze i zaczął rąbać drwa. Szło mu to nieskładnie. Ale nie zrażony urąbał naręcz drewien. Ostatni Zakonnik patrzył na te jego zmagania się. Patrzył na rozłupywane klocki, prawie że odczuwał zapach drzewa, czuł szorstkość kory. I naraz doznał olśnienia; to nie jest zwyczajna chłopięca zabawa, to jest po prostu spotkanie się z przyrodą, ze światem pojętym najbardziej głęboko. Nie opuszczała go ta myśl wtedy, gdy przypatrywał się kolejnym zajęciom chłopca, który następnie poszedł do kuchni, podpalił pod blachą. Też mu to nie szło. Dym początkowo wracał się, nie chciał iść w komin. Wreszcie się udało. Nastawił wodę. Z szafy drewnianej zamykanej na haczyk wyjął kaszę w glinianym dzbanku, zasypał na gotującą się wodę, posolił, potem spokojnie mieszał ją w garnku, a gdy się ugotowała, wylał na talerz i zjadł. Poszedł do kaplicy. Ukląkł na drewnianej podłodze i modlił się długo. Potem wrócił do celi, położył się na prostym drewnianym łóżku z siennikiem wypełnionym słomą i zasnął.

Dopiero teraz Ostatni Zakonnik zdecydował się sam iść spać, ale był tym wszystkim tak przejęty, że trudno mu było zasnąć. Nie chciał zwracać się o pomoc do elektronicznego lekarza, jak to zwykł był robić w takich sytuacjach. Czy działał tu przykład tego chłopca?

Rano zbudził się, gdy tylko chłopiec wstał — tak zaprogramował swoje budzenie. Wszystko było podobnie jak ubiegłego dnia. Po ubraniu się i modlitwie chłopiec zjadł prosty posiłek. I potem wyszedł, odziany w swój zwyczajny ubiór. Pozostawało pytanie: wróci, czy nie wróci. Na razie go nie było. Wobec tego Ostatni Zakonnik postanowił zobaczyć, co z jaskółką. W pośpiechu zapomniał podłączyć się do swojego elektronicznego lekarza i na skutek tego fotel, tak jak dnia poprzedniego, odmówił mu posłuszeństwa przed drzwiami wiodącymi na dwór. Zwlókł się z fotela. Zapragnął iść tak, jak szedł chłopiec: lekko, swobodnie, ale mu się nie udało. O mało nie upadł. Opierając się o śliskie plastykowe ściany wysunął się na podwórze. Znowu owionęło go ostre powietrze. Przyłożył rękę do czoła i patrzył na gniazdo. Robota lepienia chyba była skończona. Co chwila nadlatywały jaskółki i znosiły trawki, aby wymościć gniazdko. Bo teraz już były dwa ptaki. Spostrzegł to wyraźnie, gdy czasem przy gniazdku się spotykały. Po południu zjechał jeszcze raz, żeby zobaczyć, co się tam dzieje. Moszczenie gniazdka było skończone. Samica już znajdowała się we wnętrzu, a samczyk był na zewnątrz. Pilnował jej siedząc na uskoku ściany. — „No, to już nie odejdą. Będą miały młode".

Czuł się gorzej. Dokuczało mu gardło. Szeleściło w płucach. Wrócił do celi. Podłączył się do lekarskiego komputera. Bał się czytać wystukanej diagnozy, ale w końcu przeczytał. „Początek zapalenia płuc". Jako polecenie między innymi: zakaz opuszczania budynku i pokoju. Nawet nie bardzo się tym przejął. Tak był ucieszony tym, co się w klasztorze zaczęło dziać.

Po południu chłopiec przyszedł. A właściwie przyszli. Było ich trzech. Tamci podobni do niego. Początkowo jeszcze onieśmieleni rozglądali się po starym klasztorze, jeszcze niezgrabniej wykonywali poszczególne prace.

Tymczasem Ostatni Zakonnik rozchorował się na dobre. Kolejne dnie były dla niego coraz gorsze. Polecenie lekarskie brzmiało: „Zakaz opuszczania łóżka". Przerzucił się na sterowanie z centrum dyspozycyjnego zainstalowanego przy łóżku. Podskoczyła gorączka. Serce mu się tłukło. W nocy pocił się. Stracił apetyt. Nie smakowało mu jedzenie z dodatkami coraz intensywniejszych lekarstw. Całe dnie przesypiał albo przynajmniej drzemał. Jeżeli wracał do świadomości, to chyba tylko dlatego, że chciał wiedzieć, co się dzieje z jaskółkami i z przybyszami. Polecił komputerowi telewizyjnemu skierować obiektyw na krzyż nad kuchnią i mógł dokładnie obserwować ptaki. Jaskółki już miały młode, które rozwierały szeroko dzióbki i domagały się wrzaskliwie pokarmu. Do trzech przybyszów doszło jeszcze dwóch i było wszystkich pięciu — tylu, ile wolnych cel. Wspólnie się modlili, posilali — podczas posiłku jeden z nich czytał regułę św. Franciszka — a potem wychodzili, żeby powrócić pod wieczór.

Z dnia na dzień coraz bardziej bał się o swoje życie. Bał się, że po którymś zaśnięciu już nie obudzi się. Wciąż niepokoiło go świecące na czerwono światełko. Wiedział, że czeka go zasadnicza rozmowa z przybyszami, ale starał się ją odwlec maksymalnie, aby im pozostawić swobodę, aby im dać szansę na ich ostateczną decyzję. Aż po którejś ciężkiej nocy doszedł do przekonania, że dłużej nie wolno mu ryzykować. Cały dzień był dla niego ciężki. Nie mógł się doczekać ich powrotu. Podtrzymywał się obserwowaniem małych jaskółek, które już gramoliły się na brzeg gniazdeczka — nie mogąc się w nim już pomieścić, przygotowywały się do pierwszych lotów. Gdy wrócili do klasztoru, natychmiast połączył się z nimi. Byli dość zdziwieni, gdy usłyszeli jego głos.

— Przepraszamy. Myśleliśmy, że już tutaj nikt nie mieszka.

Nie wdawał się w rozmowę. Wiedział, że musi siły oszczędzać na istotne sprawy.

— Po coście tu przyszli?

— Chcemy żyć w ubóstwie, zgodnie z nakazami św. Franciszka.

— Jakie macie cele?

— Chcemy sami nauczyć się miłości świata, ludzi i Boga. Chcemy pomóc ludziom, którzy tkwią tylko w materii. Chcemy głosić słowem i życiem swoim Chrystusa.

— Na zawsze?

— Na całe życie.

— Przyjmuję wasze ślubowanie i z serca wam błogosławię.

Wyłączył się. Opadł ciężko na poduszkę. Był wyczerpany tą krótką rozmową. Rozmową, na którą tak długo czekał: do której tak się przygotowywał. Leżał tak długą chwilę. Gdy otworzył oczy, spostrzegł, że coś się w jego pokoju odmieniło. W pierwszej chwili nie mógł się zorientować, co to za zmiana. Ale już za moment odkrył ją — przestało się świecić czerwone światło z napisem: Ostatni zakonnik klasztoru.

SEN O NADZIEI

Byłem w szarości. Znajdowałem się w jakimś gigantycznym budynku. Szedłem przez popielate korytarze. Przerażająco obszerne i ciągnące się bez końca. Po jednej stronie okna niosły trupie światło przez ogromne zmatowiałe szyby. Po drugiej stronie korytarza w głębokich odrzwiach tkwiły szare drzwi prowadzące do poszczególnych pokojów. W każdych z drzwi znajdowały się okrągłe wizjery — duże, szare, zamknięte. Na korytarzu nie było nikogo. A ja szedłem chcąc kogoś spotkać. I wciąż na nikogo nie natrafiałem. Równocześnie wiedziałem, że w tych pokojach są ludzie. W każdym jeden. Zastraszeni, nieprzyjaźni, czekający na to, żebym wreszcie przeszedł, żebym przypadkiem nie usiłował do nich zapukać i wejść. Chociaż ja nie chciałem do nich wchodzić. Czułem ich niechęć. Widziałem w głębi pokojów poprzez drzwi na wpół przeźroczyste ich szare postacie, ich szare czaszki poddane do przodu, ich oczy wpatrzone we mnie spode łba. Nie, takich ludzi nie chciałem spotkać. Chciałem spotkać jakiegoś normalnego, zwyczajnego człowieka. Nawet niekoniecznie znajomego. Kogokolwiek. Poczucie mojej samotności było zupełnie nie do zniesienia. Zdawało mi się, że nie wytrzymam tego stanu, że skonam. Chociaż wiedziałem, że skonać nie mogę. Wobec tego wciąż szedłem uparcie, żeby kogoś spotkać. Nie. Słowo „szedłem" jest niewłaściwe. Posuwałem się. Krok nie dźwięczał po popielatej podłodze. Ja też byłem szary. W jakimś szarym okryciu. Moje ręce były szare. I moja twarz chyba też. Czyżbym ja miał również taką wystraszoną, nieszczęsną twarz jak tamci ludzie. Wciąż szedłem — snułem się naprzód, bo nie mogłem wytrzymać tego osamotnienia. Mówię „osamotnienia" — choć to było uczucie dla mnie zupełnie nowe, jakiego nigdy dotąd nie doświadczałem w moim życiu. To było coś takiego jak kiedyś, gdy odjeżdżałem na studia z mojego miasta do innego, zupełnie mi obcego. To było coś takiego jak kiedyś w czasie moich długoletnich pobytów za granicą. Wtedy miałem poczucie, że tracę przyjaciół i kolegów, że jest to odłączenie się od mojego najbliższego środowiska zupełnie fizyczne, jak krajanie nożem. Za każdym razem mój wyjazd nazywałem — po cichu, dla siebie, żeby nie okazać się śmiesznym przed innymi — częściową śmiercią. Tak, ale tu tkwiła istotna różnica. Wtedy kiedyś, przed laty, wiedziałem, że moich najbliższych odzyskam, gdy wrócę. Że mogę próbować nawiązać przerwane nici, że jestem w stanie zapobiegać ich zerwaniu już teraz, gdy napiszę, zatelefonuję. Mogłem być pewny, że od nich otrzymam jakiś znak naszej jedności. Teraz wiedziałem, że tak nie jest. Że utraciłem ich wszystkich bezpowrotnie. I dlatego to obecne moje osamotnienie było nieporównywalne z żadnym z tamtych poprzednich. Szedłem i umierałem z rozpaczy.

Nagle zobaczyłem szary tłum. Ciągnął chodnikiem ulicznym wśród zabudowań miasta, do którego należało moje gmaszysko. Miasto było takie samo jak mój korytarz: szare. I zdawałoby się, że to, na co czekałem, spełniło się. Że wreszcie napotkałem ludzi. Ale nic bardziej błędnego. Byli mi zupełnie obcy. Nic mnie z nimi nie łączyło. To była ta sama kategoria istot, które siedziały w tamtym budynku z obszernymi korytarzami. To był obcy, niechętny, popielaty tłum, który posuwał się wcale mnie nie dostrzegając. Oni również nie widzieli siebie nawzajem. Albo chyba raczej: nie chcieli się widzieć. To były istoty zupełnie sobie obce. Chociaż był to ciąg lity, zwarty postaci, jakby sklejona masa. Może przez to tak trudno było mi je nazywać ludźmi. Byli jak ślimaki zamknięci w skorupach swoich myśli i przeżyć. Nie chcieli czy nie umieli z nich wyjść. Poczucie pustki jeszcze bardziej się we mnie nasiliło: bo przecież spotkałem ludzi, istoty podobne do mnie samego, które nie przyniosły mi nic poza jeszcze głębszym pragnieniem obecności człowieka. Nagle spostrzegłem wśród nich żywy kolor — pomarańczowy, niebieski. Szła wśród nich dziewczyna. A właściwie szła przez nich. Jakby dla niej był ten tłum mgłą. Nikt z tłumu nie zauważył jej. Jeszcze nie wiedziałem, do kogo ona idzie. Do mnie czy nie do mnie. Ale tak, do mnie. Wyraźnie rozglądała się za mną, szukała mnie. Powinienem do niej podbiec, podejść. Tymczasem stałem i patrzyłem z utęsknieniem. Nie mogłem zbliżyć się. Ona mnie nie widziała. A tak chciałem, żeby mnie spostrzegła. Chyba mnie nie wyróżniała z całej szarości krajobrazu. Bo przecież też byłem popielaty jak ten cały świat, w którym tkwiłem. Ale chyba domyślała się, że jestem w jej pobliżu, wyczuwała mnie — moją obecność. Coś mówiła ze swej oddali do mnie. I ja mówiłem do niej. Chciałem mówić. Otwierałem moje popielate usta, ale one nie były w stanie wydać jakiegokolwiek głosu. Wobec tego machałem moimi ramionami — skrzydłami wiatraka. Ale bezskutecznie. Odeszła nagle, jak się pojawiła. Chciałem iść za nią w ten kolorowy, szczęśliwy świat, który ze sobą na moment przyniosła. Zacząłem się posuwać w stronę, gdzie znikła. Ale oblepiał mnie szary tłum, utrudniał mi każdy ruch i przeszkadzał swoją bezwładna masą.

Obudziłem się nagle. Chyba nie krzyczałem, choć w pierwszej chwili tak mi się zdawało. Chciałem krzyczeć, bo wciąż tkwiłem w szarości. Nie mogłem się uwolnić od niej. Otaczała mnie całego. Byłem nią — lepkością, wydrążoną pustką, rozpadliną, zbutwiałością. Z największym trudem wracałem do przytomności. Czerń nocy powitałem z ulgą. Ale wciąż we mnie trwało przerażenie. Już byłem całkiem przytomny. Już wiedziałem, że żyję, gdzie jestem, która godzina, jaki dzień miesiąca. Włączyłem radio — przyrząd, jaki ludzkość wymyśliła, by człowiek nie czuł się samotny. Zaświeciłem światło. Z zachłannością wpatrywałem się w ściany, w sufit, w sprzęty upewniając się, że są bardziej realne niż to, gdzie byłem przed chwilą. Ale i tak nie mogłem się uwolnić od prawdziwości tego snu. Wiedziałem natychmiast, że byłem w czyśćcu. Usiłowałem sobie przywołać przed oczy tę postać dziewczyny, żeby rozpoznać, kto to był. Ale nic z tego. Stała za daleko. Jej twarz ledwo mi majaczyła. Zastanawiałem się nad tym, skąd do mnie przyszła: z ziemi czy z nieba. Pytałem siebie, dlaczego taki czyściec jest dla mnie przeznaczony. Bałem się, że wróci tamten sen. Zresztą spać mi się nie chciało. Słuchałem muzyki, ale ze szczególną satysfakcją wiadomości bieżących. O tym, co się gdzie dzieje w moim kraju i na świecie, i jakie to wszystko jest bardzo ważne. Wreszcie zasnąłem.

Szedłem z kolegą ze szkoły licealnej a potem ze szkoły inżynieryjnej przez wyludnione miasto. Miałem świadomość, że opuściłem tamten szary budynek. Miasto było rozświecone rozproszonym światłem, niebo pokryte białą mgłą. Tak wygląda Rzym i niebo rzymskie, gdy wieje sirocco. I było tak samo jak tam duszno. Ulice i kamienice miały kolor piasku. Rzucały czarne cienie. Biało-czarne miasto. I my obaj byliśmy ubrani w biało-czarne ubrania, ciężkie, sztywne, parzące i niezgrabne. Nigdy nie przyjaźniliśmy się specjalnie ze sobą, toteż nawet zdziwiłem się, gdy go zobaczyłem obok siebie. Pamiętałem teraz wyraźnie, że on, choć chodził do szkoły budowy maszyn, to właściwie zawsze chciał być aktorem. Wszystkie przedmioty techniczne niewiele go obchodziły. „Znał się na filmach". Robił sobie nagminnie zdjęcia we wszystkich możliwych pozach i bardzo dbał o swój wygląd, o włosy i o ubranie. Występowanie w filmach było to jego marzenie wciąż nie spełniane. Zresztą miałem zawsze grube wątpliwości, czy on byłby dobrym aktorem. Teraz szliśmy szybko pustymi ulicami i chcieliśmy to miasto opuścić jak najprędzej. Wiedzieliśmy, że dlatego jest tak pusto, że wszyscy poszli na jakieś wspólne zebranie czy zajęcie. Ale myśmy gardzili nimi, nie mieliśmy wcale zamiaru być z nimi, a tym bardziej na jakimś wspólnym spotkaniu. Czuliśmy się kimś lepszym od nich. Nie mieliśmy zamiaru nawiązywać z nimi kontaktu. Byliśmy rozpędzeni i zadowoleni z siebie. Cieszyliśmy się bardzo, że jesteśmy razem, że nie jesteśmy bezbronnymi jednostkami, że stanowimy jakąś biologiczną siłę. Ale to była czysto zewnętrzna radość. Bo przecież nic nas ze sobą nie łączyło jak tylko to, że chcieliśmy opuścić to nudne miasto. Tylko wciąż nie mogliśmy natrafić na wyjście. Miotaliśmy się po wąskich ulicach, otwartych pustych placach. Jakby w jakimś amoku, klaustrofobii: wyjść. Za wszelką cenę wyjść. Chociaż byłem pewien, że tuż za bramami miasta nie ma nic: przeraźliwa pustka, że nie ma dokąd iść. Miałem jakieś niczym nie uzasadnione przekonanie, że z tego miasta nie wychodzi się przez bramy, ale w górę, tylko jeszcze nie wyobrażałem sobie, jak to jest możliwe. Chcieliśmy jak najszybciej opuścić to miasto. Wiedzieliśmy, że natrafimy na wyjście i tam będą nas sprawdzać i byliśmy bardzo niepewni, czy nas przepuszczą. Już widziałem czarnych strażników stojących kordonem zamykającym ulicę. Byłem przekonany, że oni nas zatrzymają i nie wypuszczą, że nas zawrócą do tych ludzi, którymi gardziliśmy, że każą nam mieszkać w tym biało-czarnym obcym mieście wraz z obcymi nam ludźmi. Potem przypłynęły inne sny, które natychmiast po obudzeniu się, zapomniałem. TEN pamiętałem w każdym szczególe. Żałowałem tylko, że był taki krótki, że nie miał pointy.

Dzień przeszedł jak zwyczajnie. Zwyczajne ubieranie się, zwyczajne posiłki, zwyczajne zajęcia. Miałem w którymś momencie ochotę zadzwonić do tego kolegi ze snu. Dawno się z nim nie widziałem. Chciałem z nim zamienić choćby kilka słów. Ale zrezygnowałem. Wreszcie przyszła noc. Śnił mi się dalszy ciąg MOJEGO snu.

To mi się dotąd zdarzyło może dwa razy, że śniłem dalszy ciąg snu z dnia poprzedniego.

Byłem na jakimś chyba boisku, chyba w parku miejskim, z grupą ludzi ubranych w granatowe dresy. Stanowiliśmy wąż zamykający się w jakimś gigantycznym kole. Spleceni ramionami wykonywaliśmy ćwiczenie bardzo proste. Jeden drugiego miał dźwigać do góry. A więc każdy z nas sam dźwigał i równocześnie był dźwigany. Panowała tu inna niż na ziemi siła przyciągania. Najsłabsze nawet odbicie się od ziemi dawało wyraźne efekty. Unosiliśmy się z lekkością puchu wysoko w górę, a potem łagodnie opadaliśmy w dół. Wąż falował nieustannie podnosząc się i opadając. Wszyscy byliśmy zmęczeni, utrudzeni. Z jednej strony ramię moje silnym chwytem było złączone z ramieniem jakiejś obcej kobiety. Brunetka w średnim wieku z bladą twarzą wykrzywioną cierpieniem. Po prawej stronie jakiś stary człowiek oczekujący tak jak ona mojej pomocy. W chwili, gdy byłem na ziemi, miałem nadzieję, że gdy dobrze się odbiję, to ulecę w górę. Ale gdy tak szybowałem wraz z moimi najbliższymi towarzyszami, w którymś momencie czuliśmy, jak zatrzymuje nas i ściąga ciężar tych, którzy opadają w dół. Zdawało się, że gdybyśmy zgrali nasze wysiłki i całe koło w tym samym momencie odbiło się od ziemi, to udałoby nam się wzlecieć. Ale jak na razie, krąg nasz falował beznadziejnie. Zdawało mi się, że gdybym był sam, wzniósłbym się z łatwością. Gdyby nie trzymano mnie za ramiona z obu stron. Ale to było niemożliwe. Tylko razem mogliśmy się wznieść w górę. Więc zjednoczeni uściskiem ramion trudziliśmy się wspólnie aż do utraty tchu. Obudziłem się spocony, umęczony, rozkołysany, falujący. Zasnąłem po małej chwili, ale ten sen już nie powrócił.

Teraz czekałem na ciąg dalszy. Byłem pewien, że następnej nocy będzie mi się śniło znowu o czyśćcu. I chciałem tego. Ale nie. Ani następnej, ani kolejnej. Wobec tego usiłowałem sprowokować ten MÓJ sen. Przypominałem sobie poprzednie odcinki i próbowałem zasnąć z pamięcią o nich. Ale nic nie pomagało. Budziłem się jak to zwyczajnie, nie pamiętając o niczym, co śniłem — ot, jakieś nieważne sprawy. Aż wreszcie, gdy już straciłem nadzieję, nadszedł sen z mojej czyśćcowej serii.

Znajduję się na stromym brzegu jeziora. Jest późny wieczór, prawie noc. Tuż za mną czarna tafla, która straszy. Bo to nie woda, tylko czarna maź, w którą nie chcę już wpaść. Jestem nią zmoczony. Śmierdzi zgnilizną, gnijącymi roślinami. Brzeg pokrywa warstwa czarnych stworzeń. One dopiero co zostały wyrzucone z jeziora. Wyglądają jak biskwity, ale są czarne, lśniące, nieruchome, leżą jedno obok drugiego, tak że nie mam gdzie nogi postawić. Boję się, że się poślizgnę i wpadnę w nie. Mam obrzydzenie przed każdym kolejnym krokiem, kiedy but mój w nich grzęźnie. Gdzieś w górze bieleje krawędź brzegu. Widzę w ciemności — bardziej wyczuwam niż widzę — wyciągnięte ręce kogoś ubranego w niebieskość i pomarańcz. Ręce, które chcą mi dopomóc i wydobyć mnie z tego dołu. I choć one daleko, są jedynym prawie argumentem dla mnie, jedyną zachętą, by wbrew obrzydzeniu, które wywołuje we mnie mdłości, brnąć w górę.

Nagle znalazłem się w jakimś bardzo wysokim, nie wykończonym wieżowcu. Stałem na jakiejś kondygnacji schodów wiodącej w pustkę. Nie było poręczy, żadnego zabezpieczenia. Z boku brakowało fragmentów ścian. Pode mną zionęła przepaść. Ten budynek to byłem ja. I ja stałem na betonowej półce i chciałem znaleźć się na ziemi. Nie tylko chciałem, ale musiałem, bo trzeba było przystąpić do wykańczania wszystkiego, czego brakowało w tym kolosie. Zdawało mi się, że jest to zupełnie niewykonalne. Ale na razie nie było jak zejść. Przylepiony do kolejnej ściany, do której przeskoczyłem, rozglądałem się beznadziejnie, szukając, następnego punktu, by zejść niżej. Z rozpaczą nie dostrzegałem nic takiego. Zewsząd zionęła przepaść. Prześladowało mnie pytanie, po co zbudowałem takiego giganta, którego nie jestem w stanie wykończyć.

Niespodziewanie zobaczyłem cudowną, olbrzymią katedrę. Znajdowała się na skraju mojego miasta —

miasta, w którym z taką niechęcią ciągle mieszkałem. Przypominała Notre Dame w Paryżu. Miało się w niej odbyć za chwilę jakieś wspaniałe misterium. I ja miałem w nim uczestniczyć w jakiejś ważnej roli. Ludzie wciąż jeszcze ciągnęli, choć katedra była prawie całkowicie już wypełniona. Wiedziałem, że muszę przyjść na czas. Ale przy bocznym wejściu zatrzymały mnie czekolady z nadzieniem marcepanowym. Leżały przygotowane dla mnie od razu do zjedzenia. Wiedziałem, że nie ma już na to czasu, że powinienem już iść, bo nie zdążę, bo się spóźnię, ale nie mogłem się od nich oderwać. Były bardzo dobre. Jadłem zachłannie, łapczywie, miałem pełne usta tej czekolady, rękami odwijałem następną. Równocześnie byłem absolutnie świadomy, że upływają sekundy, minuty i spóźnię się. Przepadnie okazja, która mi jest dana. Ale nie mogłem się oderwać od jedzenia. Przełykałem całymi kawałami i gardziłem sobą, że dla takiego głupstwa przepada mi jedyna w życiu szansa.

Za moment byłem w moim mieszkaniu umieszczonym w pobliżu jednej z wież katedry. Siedziałem w porcelanowej wannie w ciepłej wodzie, w luksusowym wnętrzu obszernej łazienki. Byłem rozgrzany, przyjemnie rozleniwiony. Moje ruchy, moje myślenie były zwolnione, ociężałe. Równocześnie wiedziałem, że powinienem się natychmiast ubierać, bo już czas najwyższy, ale wciąż mi było tak dobrze i nie wychodziłem z tej wanny. Miałem wyostrzoną świadomość, że tam już dokonują się wszystkie przygotowania. Widziałem przygotowania, które tam, w katedrze, już trwają, w których powinienem uczestniczyć. Byłem tego pewien, że i ja tam się już powinienem zgłosić, bo mnie nie uwzględnią, wezmą kogoś innego zamiast mnie i będę musiał tu zostać na zawsze, a oni wyzwoleni odejdą stąd, mnie pozostawiając samego. Ale nie byłem w stanie powiedzieć sobie: wychodzę, koniec z kąpaniem.

Jeszcze chwila i siedziałem w grupie ludzi rozmawiających przy stole w jakimś chyba piwnicznym, ale bardzo bogatym pomieszczeniu. Nawet nie wiem, czego ta rozmowa dotyczyła. Na pewno to były sprawy nieważne, banalne, niewarte zainteresowania. Nie obchodziły mnie zupełnie. Cała uwaga moja była skupiona na tym, że już od dawna powinienem stąd wyjść i iść do katedry, bo tam na mnie czekają, liczą, że przyjdę, moi przyjaciele — jedyni prawdziwi przyjaciele, którzy chcą mnie wydobyć z tego obcego świata. Cieszą się, że skończy się mój czas odosobnienia, że stanę się godnym tych świętych uroczystości, które już się rozpoczynają. Teraz. W tej chwili. A ja trwałem jak sparaliżowany, wstydząc się przerwać tę głupią rozmowę, przeprosić i wyjść, bojąc się, że ktoś na mnie popatrzy z lekceważeniem czy dezaprobatą. I siedziałem pełen rozpaczy, bezwolny.

Tuż zaraz, stałem w głównym wejściu katedry. Zapełniał je szczelnie tłum ludzi. Nie mogłem się przebić. Zresztą i tak już było za późno na wszystko. Tam, wewnątrz katedry, już działo się. I ja tam miałem z nimi świętować. Teraz tkwiłem zablokowany w tłumie. Byłem wściekły na marcepanowe czekolady, na kąpiel w wannie, na głupie towarzystwo. Wszystko przepadło. Widziałem wspaniałe wnętrze: strzeliście biegnące ku górze ściany naw oświetlone ciepłym światłem reflektorów. Słyszałem wspaniałą grę organów, śpiewy chóralne i solowe. Podnosząc się na palcach i wyciągając szyję z trudem od czasu do czasu udawało mi się uchwycić jakiś obraz ceremonii, którą spełniano tam, w prezbiterium. Dostrzegałem moich przyjaciół w przepysznych złotolitych strojach, jakąś procesję. I ja tam mogłem być. I ja mogłem w tym nabożeństwie uczestniczyć. Rozpacz mną targała. Obudziłem się. Leżałem w ciemności pokoju pełen żalu i poczucia głupio utraconej szansy. Nie byłem w stanie zrozumieć, jak mogłem się tak zachować. Jak mogłem do tego dopuścić. Rosła we mnie tęsknota, prośba, by można było jeszcze raz powtórzyć to, co zmarnowałem, by odkręcić film. A wtedy na pewno stanę na wysokości zadania. Nie popełnię tych głupich błędów. Tęsknota, żebym miał jeszcze raz taką szansę, jaka stała przede mną.

Chciałem natychmiast zasnąć. Ale byłem rozbudzony tak, że nie potrafiłem. Mimo że stosowałem wszystkie możliwe znane i wypróbowane metody. Zasnąłem dopiero chyba po godzinie. Ale już sen tamten nie wrócił. Nie wrócił i w następne noce. I dotąd czekam bezskutecznie na dalszy ciąg. Mam nadzieję, że kiedyś przyjdzie we śnie albo na jawie.

PILNY LIST DO ŚW. MIKOŁAJA

Zbliżał się 6 grudnia. Święty Mikołaj siedział i czytał listy, które mu dzieci przysyłały przed jego imieninami. Starego biskupa, przez wszystkich w niebie kochanego, otoczyły aniołki. Otwierały mu listy i porządkowały. Czasem święty staruszek nie mógł sobie poradzić z kulasami nabazgranymi przez jakiegoś dzieciaka, który dopiero zaczynał poznawać ciężką i trudną sztukę pisania. Wtedy aniołki brały na jego prośbę taki list w swoje delikatne ręce i odczytywały go świętemu na głos.

— Co on tam napisał? — zapytywał z troską święty. — Weź to i popatrz, bo nie mogę odczytać tych bazgrołów.

Aniołek wziął kolejny list i odczytywał niezgrabnie napisane literki:

— „Proszę Cię, święty Mikołaju, żebyś mi przyniósł kolej".

— Aha, kolej. A dalej co?

— „Taki pociąg, żebym się zmieścił w nim i ja, i mój piesek Ciapek, i mój kocik Łapek".

— Ho, ho, ho. I co jeszcze.

Aniołek czytał dalej:

— „Żeby były długie szyny. Bo chcę objechać swoim pociągiem dookoła świat".

— No, no, no. Skąd on taki wędrowniczek. A tu, w tym liście, co napisane? — święty podawał następny list. — Bo nie potrafię odczytać.

Aniołek wziął list, pochylił się nisko. Po chwili powiedział:

— Tym razem i ja nie potrafię.

— No, próbuj, próbuj.

— „Przewielebny święty Mikołaju".

— No, to nie sztuka odczytać. Ale co dalej.

Aniołek z trudem sylabizował:

— „Proszę Cię, żebyś mi przysłał, przyniósł kiełbasę prawdziwą. Taką długą, żeby mi wystarczyło do następnego roku. A w przyszłym roku poproszę Cię o taką samą". To tyle — odsapnął aniołek.

— Skąd on ma taki apetyt na kiełbasę — zdziwił się święty.

Następny list był łatwy, bo wykaligrafowany bardzo wyraźnie: Święty Mikołaj czytał sobie sam:

— „Jeszcze nigdy nie miałem misia pandy, a mój miś już się zestarzał, jedno ucho ma naderwane, a właściwie dwa, i już ma tylko jedno oko, bo drugie gdzieś się zgubiło. A mnie się najlepiej zasypia z misiem".

Ale następny list był znowu trudny do odczytania. Święty Mikołaj podał aniołkowi pomarszczoną kartkę papieru.

— Może list wpadł do wody.

— Albo był pisany podczas deszczu — powiedział drugi anioł, zaglądając pierwszemu aniołkowi przez ramię.

— Czytaj, czytaj. Szkoda czasu. Tyle jeszcze listów do odczytania — powiedział święty Mikołaj niecierpliwie, wskazując na ledwie napoczęty kosz z listami. — A wciąż nowe przychodzą.

— „Święty Mikołaju" — zaczął anioł powoli sylabizując.

— To już wiemy. Dalej, dalej — poganiał go niecierpliwie święty Mikołaj.

— „Nie proszę Cię o żadne zabawki"...

— Czy to jeden z takich, który ma dobry apetyt?

— ... „ani nie proszę Cię o żadne łakocie"...

— Co on tam wymyślił?

— „Proszę Cię tylko o jedno".

— No, o cóż tam?

— „Uzdrów mamę".

Zrobiło się cicho w tym rozświergotanym towarzystwie. Zamilkł i anioł odczytujący list, zaskoczony sam tym, co przeczytał. Po chwili milczenia św. Mikołaj spytał cicho:

— To już wszystko, co tam napisane?

— Jeszcze nie.

— Czytaj dalej.

— „Moja mama jest ciężko chora od dawna i żadne lekarstwa nie pomagają. Lekarz powiedział: Już tylko Bóg może ją uratować".

Znowu zapadła cisza. Tym razem łzy uniemożliwiły aniołkowi dalsze czytanie.

— To już wszystko?

— Nie — odpowiedział aniołek przez ściśnięte gardło. — „Pomyślałem sobie — czytał dalej aniołek tłumiąc łkanie — że do Pana Boga niełatwo się dostać, bo przecież tylu ludzi wciąż Go o coś prosi, wobec tego piszę do Ciebie, abyś Ty wstawił się za moją mamą do Pana Boga".

Święty Mikołaj może by już się zerwał, ale poczuł, że nie jest w stanie się ruszyć z fotela. Powiedział więc do aniołka:

— Pokaż mi to dziecko.

Aniołek spojrzał na adres, rozglądnął się po Ziemi. Odsunął obłoczek, który mu przeszkadzał, i powiedział:

— To tam — wskazując ręką.

Święty Mikołaj zmrużył oczy i popatrzył pilnie, choć to mu już nie było potrzebne. Zobaczył chłopca w szpitalu przy łóżku matki.

— To znaczy, że mama żyje.

Podniósł się żwawo z fotela.

— Ja tu zaraz przyjdę.

— A gdzie idziesz, święty Mikołaju?

— Jak to gdzie? — zdziwił się święty. — Do Pana Boga, żeby Go prosić o zdrowie matki.

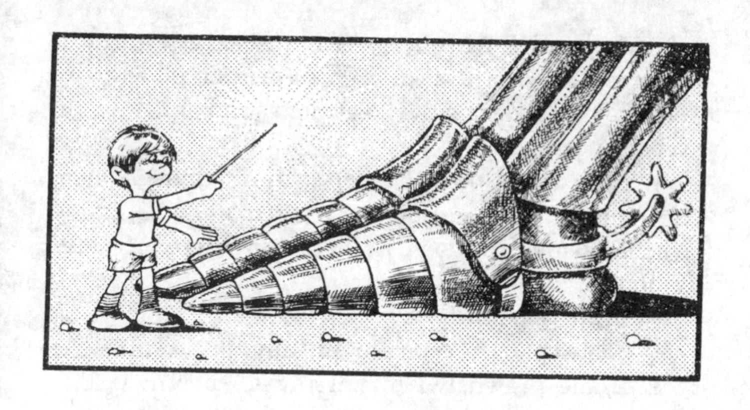

ŚPIĄCY RYCERZE W TATRACH

— Przypatrz się tylko dobrze Giewontowi, to zobaczysz śpiącego rycerza.

Ale Janek nie widział śpiącego rycerza, choć się dobrze przypatrywał Giewontowi.

— Nie widzę śpiącego rycerza. Powiedz, jak ty go widzisz.

Tata przystanął i pokazywał Jankowi ręką.

— Widzisz, on leży.

— A gdzie ma głowę?

— Widzimy go profilem. Z jego twarzy wyrasta krzyż, a potem szyja, piersi i nogi, spadają lekkim łukiem w dół.

— Już widzę! — wykrzyknął Janek uradowany.

I faktycznie widział profil poważnej, surowej twarzy. Ta twarz urzekała go najbardziej.

— Powiedziałeś, że w Tatrach śpi bardzo wielu rycerzy polskich.

— To jeden z nich. Tamci są inni. Opowiadałem ci o nich wiele razy. Śpią i czekają na chwilę, kiedy będą naszemu narodowi najbardziej potrzebni. Wtedy obudzą się, powstaną.

— Uratują nas.

— Uratują. Choć chciałbym, aby już wstali. Nie rycerze, ale prawdziwi inżynierowie, robotnicy, kierownicy, lekarze, którzy by wyrabiali dobre buty, budowali dobre domy, produkowali dobre maszyny do prania i dobre samochody.

— Pójdziemy, tato, kiedy pod Giewont?

— Tak. Chętnie. Pójdziemy do Doliny Strążyskiej. Nią podchodzi się najbliżej pod Giewont.

I któregoś dnia poszli do tej doliny. Dzień był słoneczny, ale chłodny. Wiatr ciągnął od gór. Szli wzdłuż strumienia, potem przechodzili przez kładki. Czasem spotykali ludzi, którzy tak jak oni wyszli na spacer. Janek najpierw trzymał się blisko ojca, ale w miarę jak płynął czas, coraz bardziej przyciągał go strumień skaczący po kamieniach, małe ptaszki chodzące po pniach drzew — zarówno głową do góry jak i głową w dół, dziwne ważki, które prawie stały w powietrzu nad wodą, aby potem w mgnieniu oka znikać, lecąc dalej. Wstąpili na chwilę do góralskiej chałupy, gdzie sprzedawano herbatę i jajecznicę na kiełbasie z chlebem. Tatuś zabrał się chętnie do jedzenia. Janek nie mógł nic jeść. Chociaż tego nie okazywał, był coraz bardziej niespokojny. Nie śmiał już o nic taty pytać, bo wiedział, jaką usłyszy odpowiedź. W którymś momencie odniósł talerz po jajecznicy. Przy blacie było pusto i tylko jakaś piękna gaździnka ubrana po góralsku stała sama podparta pod boki i patrzyła przez okno. Poczuł do niej zaufanie i sympatię. Podszedł i spytał cichutko:

— Proszę pani.

Gaździnka zapatrzona w stronę gór nie usłyszała go.

— Proszę pani.

— A, słuchom cię, słuchom. Coz ta fces?

— Proszę pani, czy pani widziała już kiedyś śpiących rycerzy?

— Spioncych rycerzy — powtórzyła góralka, w pierwszej chwili nie wiedząc, o co chodzi chłopcu.

— Tak, śpiących rycerzy. Raz. Czy pani ich choćby raz widziała?

Góralka już zorientowała się, o co chłopcu chodzi. Uśmiechnęła się szeroko i powiedziała:

— A cos ty se myślis.

— Chciałaby pani ich zobaczyć?

Nie odpowiedziała mu na postawione pytanie.

— Ty se myślis, ze kużdy, fto fce, moze ik oglądać?

— To nie każdy może zobaczyć śpiących rycerzy?

— Jakby inacy. Trza se na to zasługiwać.

— A jak zasłużyć?

— Cystym sercem. Nie inacy.

Janek wrócił do tatusia, który kończył pić herbatę.

— Coś ty tam tak długo rozmawiał? Herbata twoja chyba już wystygła.

— Pytałem się o śpiących rycerzy.

— I co ci powiedziała?

— Że jeszcze nigdy ich nie widziała. Ale że są ludzie, którzy ich mogą zobaczyć.

— No, toś się dowiedział.

Poszli dalej. A dalej było już południe. Słońce stało wysoko i przygrzewało mocno. Tatuś zaproponował, żeby się położyli w cieniu i trochę pospali, bo to przecież wakacje. Znaleźli kawałek gęstej, miękkiej trawy na skraju małego lasku. Janek położył się obok tatusia, patrzył w niebo, po którym chodziły — jak to tatuś powiedział — kumulusy, które układały się w rozmaite smoki i znikały za masywem Giewontu. Janek przyglądał mu się i stwierdził, że nie jest on tak daleko, że można by było podejść do niego, znaleźć jakąś jaskinię i wejść do jego wnętrza. To będzie akuratnie tyle, żeby wrócić, gdy tatuś przebudzi się ze snu. „Może mógłbym zobaczyć śpiących rycerzy". Wstał cichutko, żeby tatusia nie zbudzić, i ruszył w drogę. Śpieszył się, żeby jak najprędzej znaleźć się przy ścianie Giewontu. Mimo to wciąż był on daleki. Zaczął już go podejrzewać, że on się oddala specjalnie. „A może dlatego, że jestem niegodny zobaczenia rycerzy. Może moje serce nie jest czyste”. Właśnie to go najbardziej dręczyło, że nie rozumiał tego słowa. Owszem, jakoś to odczuwał, ale gdyby go ktoś spytał, co to dokładnie znaczy, nie umiałby na to odpowiedzieć. Żałował, że się tatusia wprost o to nie spytał, ale jakoś się wstydził. A tymczasem wciąż nie mógł dobrnąć do Giewontu. Już myślał, żeby wrócić, że to będzie już w sumie za długo. Ale przecież zdawało mu się, że to już, że byle tylko przejść następny lasek, byle tylko pokonać to wzniesienie. Żal mu było tej drogi, którą miał za sobą. Tymczasem skończyła się dawno główna, szeroka droga. Najpierw przemieniała się w wąskie ścieżki. Wybierał tę, która wydawała się najszersza, najbardziej uczęszczana i prowadząca w stronę góry. Ale potem i ta się dzieliła, zanikała. Jeszcze łapał jakieś ścieżki, które się nagle pojawiały, aż skończyły się i te. Trzeba było brnąć przez kamienie. Zrobiło się jakoś groźnie. Przedzierał się przez świerki, które chwytały go za włosy, za ubranie, jakby starały się go zatrzymać. To znów nogi grzęzły mu w kosodrzewinie, musiał uważać, żeby nie stracić buta. Tymczasem niebo zasnuło się chmurami, zaczął padać drobny deszcz. Schował się pod gęstym świerkiem, który stał na środku polany i postanowił przeczekać ten deszcz. Usiadł, oparł się o pień drzewa. I prawie tuż zaraz stanął przed nim anioł-nieanioł, dobra wróżka, którą skądś dobrze znał, i nagle stwierdził z radością: przecież to tamta góralka, z którą rozmawiał przed paroma godzinami. Uradowany zapytał ją:

— Skąd się pani tu wzięła?

To powiedział tylko tak, żeby coś powiedzieć, bo naprawdę domyślał się, po co ona przyszła do niego. Ale ona zwróciła się do niego z tajemniczym uśmiechem:

— Chodź.

Nawet się nie musiał jej pytać dokąd, bo wiedział, że zaprowadzi go do śpiących rycerzy. Natychmiast znaleźli się przed ścianą Giewontu, trochę inną niż ją widział z daleka — była biała, wypolerowana jak marmur, wyglądała jak fronton ogromnej katedry. Janka przewodniczka weszła w tę ścianę jakby weszła w ścianę przeźroczystą, z wody. Wszedł za nią i znalazł się w ogromnym, ciemnym wnętrzu, którego sklepienie ginęło gdzieś w niebiosach. Światło, które mżyło z góry, oświetlało rycerzy. Spoglądał na nich z zadartą głową. A więc jednak są tacy jak myślał. Ogromni, na kształt pagórków, siedzieli oparci o tarcze. Zakuci w zbroje, w hełmach stalowych na głowach, z ryngrafami na piersiach. Stał przy nich jak mrówka przy wielbłądach. Ale wciąż mu się wierzyć nie chciało czy te olbrzymy to ludzie, czy też jakieś gigantyczne posągi wykute w skale. Przyglądał im się niedowierzająco aż powiedział do swojej przewodniczki-anioła:

— Czy oni są żywi?

— Chcesz się przekonać? Dotknij ich moją laską.

Janek dopiero teraz zauważył, że ona trzyma w rękach świecącą laskę. Odebrał ją od niej. Zdawała się nic nie ważyć. Delikatnie dotknął buta pierwszego z rycerzy. I nagle ta masa stalowa drgnęła. Janek z przerażeniem patrzył, jak rycerz uniósł znad tarczy głowę i w gigantycznej pieczarze zabrzmiał jego głos:

— Czy już czas?

Ale wtedy wróżka czy anioł w stroju góralki odpowiedziała:

— Śpij. Jeszcze nie czas.

Janek patrzył, wciąż tak samo zdumiony, jak opada głowa rycerza na postawioną pionowo tarczę i jak ta góra żelaza zamiera.

— A więc oni są żywi — powiedział trochę do siebie, trochę do swojej przewodniczki.

I znowu patrzył na ogromne zastępy zakutych w stal rycerzy i zdawało mu się, że mógłby tak na nich patrzeć do końca świata, aż nagle mu się przypomniało, co tatuś powiedział, z czym i on sam się zgadzał. I żal mu się zrobiło tych olbrzymów niepotrzebnych, bezużytecznych, marnujących swoje potężne siły na spanie. Powiedział nieśmiało do swej wróżki-góralki:

— Polska teraz nie tyle potrzebuje rycerzy, którzy by jej bronili, ale dobrych inżynierów, architektów, robotników, kierowników, handlowców, sprzedawczyń, lekarzy, pielęgniarek i już tam nie wiem kogo, po prostu uczciwych ludzi.

Bał się, że jego anioł dobry obrazi się, że może go upomni, że go wyprowadzi za karę z tego cudownego miejsca. Ale ona wcale się tym nie zdziwiła i powidziała spokojnie:

— Chcesz, to możesz to zrobić. Przemień ich. Masz przecież w ręce różdżkę czarodziejską.

— Naprawdę mogę to zrobić?

— Możesz.

Janek trzymając w rękach tę różdżkę świecącą w mroku, jaki panował tutaj, podszedł wciąż niepewny do pierwszego rycerza i dotknął go. Bał się, że może stać się coś strasznego.

— Bądź dobrym lekarzem — powiedział.

Popatrzył w najwyższym napięciu, co się stanie. I stało się. Ale bezszelestnie. Śpiący rycerz przemienił się w tak samo gigantycznego lekarza, który w fartuchu lekarskim spał oparty o swoją rękę. Janek podszedł uradowany do drugiego.

— Bądź dobrą pielęgniarką.

Już bez niepokoju, ale z ciekawością patrzył, co się stanie. Ale stało się tak, jak sobie zażyczył. Gigantyczny rycerz przemienił się w tak samo wielką jak on pielęgniarkę w białym kitlu, z czepkiem na głowie, śpiącą z głową opartą o swoją dłoń. Janek już podchodził do następnego rycerza:

— Bądź dobrym robotnikiem budowlanym.

I znowu na jego oczach dział się kolejny cud. A Janek szedł już do następnego i do następnego. Szedł szybko, biegł prawie, żeby zdążyć, żeby nie wyczerpała się moc czarodziejskiej różdżki, żeby mu starczyło czasu, który może się nagle skończyć. Dotykał różdżką kolejnych rycerzy. Ale wciąż jeszcze przed nim ciągnął się sznur śpiących rycerzy.

— Nie zdążę — powiedział zrozpaczony do swojej przewodniczki.

— To nic. Masz przecież w ręku czarodziejską różdżkę. Możesz powiedzieć ogólnie.

— Naprawdę?

— Naprawdę.

Janek wyciągnął wysoko nad głową różdżkę i zawołał:

— Bądźcie dobrymi Polakami.

I patrzył uradowany, jak rycerze przemieniali się w zwyczajnych ludzi.

— A teraz co?

— Możesz ich zbudzić — odpowiedziała góralka-anioł.

— Ale my w Polsce nie potrzebujemy takich wielkich ludzi, ale normalnych.

— Proszę bardzo. Masz w rękach swoich moc na wszystko.

— Mogę ich przemienić w normalnych ludzi i nie śpiących, i mogę ich wysłać do wszystkich miast i wsi Polski?

— Możesz, możesz.

— I nie muszę chodzić oddzielnie do każdego, tylko mogę to zrobić ogólnie?

— Możesz.

— I nie muszę wszystkiego opowiadać, tylko machnąć różdżką?

— Możesz.

— No to: trzy, cztery.

I Janek machnął, patrząc, co będzie. Stał się kolejny cud. W mgnieniu oka te gigantyczne postacie robotników, hutników, kolejarzy rozsypały się i zamieniły się w normalnej wielkości ludzi. Z każdego gigantycznego robotnika robiło się chyba parę tysięcy robotników. Zaludnili tę ogromną jaskinię — ale tylko na moment — bo już wypływali przez ścianę w kraj.

— Mogę zobaczyć?

— Możesz, możesz.

Janek znalazł się na chmurach, które płynęły spokojnie nad ziemią i zobaczył całą Polskę zaludnioną nowymi ludźmi, którzy wyszli z jaskini śpiących rycerzy. Polskę uśmiechniętą. Zobaczył uśmiechnięte sprzedawczynie w czystych, uporządkowanych sklepach. Uśmiechniętych robotników budowlanych na rusztowaniach pięknych, nowych domów w zieleni. Uśmiechniętych kierowców autobusów w czystych pojazdach, nie kopcących, jadących po ulicach bez wybojów i dziur, zieloną falą zsynchronizowanych znaków świetlnych. Uśmiechnięte przedszkolanki prowadzące dzieci na wycieczkę do parku.

— Janek! — usłyszał gdzieś z daleka. — Janek! — doszło do niego wyraźnie.

Nagle poczuł, że go ktoś bierze w ręce, całuje po oczach. Zobaczył swojego tatę, który trzymał go w ramionach. Zmęczonego, zdyszanego. Janek rozglądał się, szukając swojej góralki-anioła. Nie było jej. Ale to nic. Polska będzie już inna.

— Co ty mówisz?

— Obudziłem śpiących rycerzy. Już poszli w Polskę. I od dziś Polska będzie uśmiechnięta.

— Janku, ty jeszcze śnisz, ty jeszcze śnisz.

SPIS RZECZY